LA
ORACIÓN

GUILLERMO MALDONADO

LA ORACIÓN

*Descubra el secreto de cómo orar
y ayunar eficazmente*

Prólogo por
HAROLD CABALLEROS

Nuestra Visión

*Alimentar espiritualmente al pueblo de Dios
por medio de enseñanzas, libros y predicaciones;
así como expandir la palabra de Dios
a todos los confines de la tierra.*

La Oración

Tercera edición 2005

Publicado en la Librería del Congreso
Certificado de Registración: TX 5-790-118

ISBN: 1-59272-191-5

Portada diseñada por:
GM International – Departamento de Diseño

Diseño Interior:
GM International

Citas bíblicas tomadas de la Santa Biblia, Revisión 1960
Sociedades Bíblicas Unidas

Categoría:
La Oración

Publicado por:
GM International
13651 SW 143 Ct., #101 Miami, FL 33186
Tel: (305) 233-3325 – Fax: (305) 233-3328

Impreso por:
GM International
Printed in Colombia.
Impreso en Colombia.

Dedicatoria

Dedico este libro a mi esposa, Ana G. Maldonado, quien ha sido la ayuda idónea en mi vida y de apoyo total a este ministerio por medio de sus oraciones. Mi agradecimiento hacia ella será por siempre.

También, dedico este libro a mis hijos Ronald y Bryan, quienes son los que me inspiran, junto con mi esposa, a seguir adelante en el ministerio... ¡Son el tesoro más grande que Dios me ha dado después de Él!

Dedication

Agradecimientos

Mi deseo es agradecer a todas y cada una de las personas que me han hecho progresar, que me han inspirado a ser un mejor líder y que dieron todo en oración para que este libro se realizara.

A mis intercesoras: Sarahí, Piedad, Diana, Gisela, Clarita, Linda, Nadgee, Anita y el resto de los intercesores de la madrugada, quienes han orado por mí y por el ministerio.

También, quiero agradecer a todo el equipo de GM International, quienes hicieron posible la impresión de este trabajo.

Contenido

Introducción

*Este libro tiene como propósito fundamental
desarrollar en el lector una íntima relación con Dios.
Por tal motivo, mientras lo lee, podrá descubrir
una serie de pautas o consejos útiles que le
serán de gran bendición si usted, como creyente,
los lleva a la práctica cotidiana.*

*En él, también encontrará un valioso tesoro que le
permitirá escalar peldaños en el área de la oración,
y le ayudará a disfrutar de la misma, de una
forma amena, mientras la practica.*

*Dado que la oración no es una opción para el cristiano,
sino un mandamiento, debemos aprender a desarrollar
estrategias que promuevan el mejoramiento de
nuestra intimidad con Dios: aspecto fundamental
y necesario para poder alcanzar la madurez
espiritual que nos conducirá a obtener el éxito,
no sólo en nuestros ministerios, sino en
todas las facetas de nuestra vida.*

Prólogo

He viajado por muchos países del mundo, y a menudo, he escuchado la siguiente pregunta: ¿Cómo puedo desarrollar una vida consistente de oración? Las personas no tienen duda de su necesidad o su deseo de orar, sino más bien, se encuentran a la deriva en cuanto a "cómo hacerlo". Es sorprendente la necesidad que existe de un libro precisamente como el que usted tiene en sus manos.

Lo que Guillermo Maldonado ha escrito, sin lugar a dudas, bendecirá a muchísimos creyentes. Se trata de un libro que va directo al grano. Cubre las áreas fundamentales de la oración e incluye el tema del ayuno.

Si el lector es un nuevo creyente, se beneficiará enormemente con el contenido del libro. Si por el contrario, se trata de un creyente maduro, seguramente renovará su interés en la oración, le aclarará conceptos fundamentales y le ayudará a iniciar o a mantener una vida comprometida en comunión con Dios.

No es un libro de fórmulas o pasos para alcanzar algo, sino que va más allá, guiándonos al verdadero significado de la oración, que es: Comunión íntima con Dios, santidad, una vida de perdón, de ayuno, y por supuesto, incluye las bases de la fe para la petición por nuestras necesidades.

No tengo ninguna duda ni reserva en recomendarle este libro, porque sé que le bendecirá grandemente.

Harold Caballeros
Ministerios El Shaddai

CAPÍTULO I

La comunión íntima con Dios

Antes de comenzar a desarrollar detalladamente el estudio del tema de la Oración, es necesario destacar que la razón fundamental por la cual oramos, es tener comunión íntima con Dios. Es conocerlo a Él, conocer sus caminos, así como conocer sus por qué y sus cuándo. Si lo expusiera en una oración diría, es conocer los secretos profundos de Dios.

En esta enseñanza, estudiaremos todos los aspectos principales de la oración, pero comenzaremos hablando de la comunión íntima con Él.

El deseo de Dios siempre ha sido tener comunión íntima con su pueblo. Al principio de la creación, en el libro de Génesis, la palabra nos enseña que Dios se paseaba en el huerto del Edén y que hablaba con Adán. Pero, cuando vino el pecado, el hombre pecó contra Dios, y como resultado, rompió su comunión con Él. Ahora, el hombre no puede comunicarse con Dios porque su espíritu está en tinieblas. Es por esto, que Dios provee la salvación al ser humano, enviando a su Hijo, Jesucristo, quien nace de una virgen, es crucificado, resucita al tercer día y se sienta a la derecha de Dios Padre. Mediante su sacrificio, es que se restaura la comunión con el Padre nuevamente; nos quitó el corazón de piedra para darnos un corazón de carne.

¿Cuál es uno de los propósitos principales de la oración?

Existen muchos propósitos que vamos a tratar más adelante, pero el principal, por el cual existe la oración, es para que tengamos comunión con Él. Vamos, ahora, a estudiar un poco acerca de la comunión con Dios.

¿Qué es comunión?

La palabra comunión en el griego es *"koinonía"*, que significa tener en común, compañerismo, participación, amistad, comunicación, diálogo. Por lo tanto, la comunión con Dios es tener amistad, diálogo y compañerismo con Él, desarrollando una relación estrecha, pues esto es su deseo.

¿Con quiénes el Señor desea tener esa comunión?

- La comunión íntima es con aquellos que tienen mucho temor de Dios en su corazón.

«*[14]La comunión íntima es con los que le temen*». *Salmos 25.14*

¿Qué es temor de Dios?

La palabra temor de Dios en el hebreo significa tener un gran pavor por agradarlo y tener un gran pavor por no agradarlo. Si le damos una interpretación moderna, definiríamos el temor a Dios como: Amar todo lo que Dios ama y odiar todo lo que Dios odia.

Al principio, definimos comunión como algo en común, compañerismo, amistad, participación y sociedad. Esta comunión se presenta entre Dios y todos aquellos que tienen un gran pavor por desagradarlo. Si deseamos agradar a Dios, debemos saber lo que Él odia para que cada uno de nosotros pueda desarrollar una relación íntima con Él. Hay muchos creyentes que tratan de tener una relación íntima con Dios, pero están viviendo en pecado, pues tienen secretos que no agradan a Dios.

¿Qué es lo que Dios odia?

A continuación, hay una lista de siete pecados que la Biblia nos enseña que Dios odia o abomina, y son los siguientes:

«*¹⁶Seis cosas aborrece Jehová, y aun siete le son abominables: ¹⁷los ojos altivos, la lengua mentirosa, las manos que derraman sangre inocente, ¹⁸el corazón que maquina pensamientos inicuos, los pies que corren presurosos al mal, ¹⁹el testigo falso, que dice mentiras, y el que siembra discordia entre hermanos*».
Proverbios 6.16-19

1. Los ojos altivos
2. La lengua mentirosa
3. Las manos derramadoras de sangre inocente
4. El corazón que maquina pensamientos inicuos
5. Los pies presurosos para correr al mal
6. El testigo falso que habla mentiras
7. El que siembra discordia entre los hermanos

Obviamente, hay muchas otras cosas las cuales Dios odia, pero estas siete son las que dan origen a otros pecados. Entre más aborrecemos el mal y todo lo que es pecado, más cercana será nuestra relación con Él. Pero, si por el contrario, tenemos menos cosas en común con

Dios, menos cercana será nuestra intimidad con Él. Lo común que tengamos con Dios, será lo que nos acerque a Él. Si deseamos tener una comunión íntima con Él, debemos odiar lo que Dios odia y amar lo que Dios ama.

- **También se nos dice que su comunión es con los justos.** La palabra justo en hebreo es *"yashar"*, que significa: recto, derecho, correcto delante de los ojos de Dios, ecuánime, honrado moralmente.

Si pudiéramos aplicar esto a nuestra vida, diríamos lo siguiente: la comunión íntima de Jehová es con aquellos que son honrados moralmente, que tienen hambre y sed de santidad y con los que tienen sus cuentas al día con Él. Está claramente establecido en las Sagradas Escrituras que Dios no puede tener comunión íntima con individuos que viven en pecado. Es necesario vivir correctamente, romper con el pecado y buscar la santidad para que haya una intimidad cercana con Dios.

La comunión con Él es nuestra prioridad

Desafortunadamente, hemos visto hombres y mujeres que en un momento dado fueron usados grandemente por Dios, pero de repente, cayeron en pecado. Hemos visto creyentes que están en "fuego" para Dios, y de un momento a otro, se apartan. Entonces, nos preguntamos: ¿qué les sucedió? La respuesta a toda pregunta resulta ser sólo una cosa: descuidaron su comunión y su relación con Dios.

Hay miles de creyentes que están sentados en sus bancas, que vienen a la iglesia todos los domingos, pero no tienen ninguna relación personal con Él; no tienen vida de oración y no leen la Palabra; no saben cuál es la voluntad de Dios para su vida, no saben el propósito de Dios para ellos ni tienen visión de Dios. Algunos están viviendo en pecado, y no tienen ninguna idea de Dios. Lo recibieron como Señor y Salvador, pero después de eso, no han desarrollado esa relación con Él; y como resultado, su vida es una miseria, están en derrota y en todo les va mal. La comunión y nuestra relación con Dios deben ser un valor y una prioridad en nuestra vida.

¿Qué es un valor?

Es una creencia bíblica que practicamos diariamente. Si nuestra relación con Dios es un valor en nuestra vida, debemos orar todos los días y buscar su rostro. Por ejemplo, sabemos que el ejercicio físico es bueno y decimos que es un valor en nosotros, pero si no lo practicamos, no es un valor. Así mismo es nuestra relación con Dios. No debemos salir de nuestra casa si no hemos tenido comunión con Él. La oración nos enseña a depender totalmente de Él.

¿Qué es una prioridad?

Una prioridad es todo aquello a lo que usted le da el primer lugar en orden de importancia; aquello que es lo más productivo y beneficioso para usted. Por ejemplo, cuando usted tiene la oración como una prioridad, implica que antes de cualquier responsabilidad (familia, iglesia, entre otros), usted buscará estar en comunión con Dios.

La comunión con Dios es muy importante, ya que por medio de ésta, nos comunicamos con Él. Usted sabe que es amado cuando la persona se lo dice; hay un gran poder y acción detrás de esas palabras. La comunicación es parte de la naturaleza de Dios. Él desea comunicarse con nosotros, y quiere decirnos a cada uno sus planes y sus propósitos.

El primer llamado de cada creyente es estar en comunión íntima con Dios. Ésta es la prioridad principal y la más difícil, porque los que nos rodean, no nos ayudan a estar cerca de Él, sino que se enojan con nosotros si no estamos con ellos en todo.

La razón principal por la cual usted ora y estudia la Biblia, no es para ser bendecido, sino para conocerlo a Él. La mayor parte de las personas no pueden sostener una comunión íntima con Dios, y el problema número uno es que nada significativo o especial ocurre durante su tiempo de oración; no es tan excitante como se espera. Hay personas que esperan que, en cada tiempo de oración, Dios mande relámpagos y centellas, y eso no será así. Algunas veces, sí tendremos experiencias sobrenaturales, pero no será todo el tiempo.

El orar y tener comunión con Dios a veces resultará como comer cereal sin leche. En un sentido figurado, cuando esto sucede, en nuestro tiempo de oración tenemos que continuar buscando hasta que encontremos la "leche". Mi recomendación es que disminuya sus expectativas. Siga leyendo la Palabra, aunque a lo mejor, nada especial le suceda, y eventualmente, obtendrá la maravillosa manifestación de su presencia.

"Una cosa es necesaria"

«[38]*Aconteció que, yendo de camino, entró en una aldea, y una mujer llamada Marta lo recibió en su casa. [39]Ésta tenía una hermana que se llamaba María, la cual, sentándose a los pies de Jesús, oía su palabra. [40]Marta, en cambio, se* **preocupaba** *con muchos quehaceres y, acercándose, dijo:—Señor, ¿no te da cuidado que mi hermana me deje servir sola? Dile, pues, que me ayude». Lucas 10.38-40*

La palabra **preocupaba** significa distraída, dando vueltas en círculos. Hay diferentes teorías acerca de esta narración. Algunos piensan que necesitamos tener Martas y Marías en el cuerpo de Cristo, una que sirva y la otra que sea espiritual. Sin embargo, creo personalmente, según vemos lo que hace y dice Jesús acerca de Marta, que no necesitamos a este tipo de Martas en la iglesia porque Jesús en ningún momento aprueba su servicio.

Sabemos que servir a Dios es importante, pero no a la manera de Marta, donde el servicio es primero que la relación con Dios. Marta le dice a Jesús: "dile que me ayude". Juzgamos a otros cuando ponemos nuestra propia pauta de servicio o compromiso y otros no lo cumplen de la misma manera. Marta le dice a Dios que María no la ayuda. Pero Jesús le responde: "Marta, Marta..." Cuando Jesús llama a una persona dos veces por su nombre, lo hace por dos razones: para expresar su gran amor hacia una persona y para reprenderla o corregirla. *Una cosa es necesaria*, y es estar en comunión con Dios, es sentir su amor, es tener una relación íntima con Él. Cuando sentimos su amor, nos sentimos seguros de nosotros mismos, nos regocijamos en el éxito de los demás y no tenemos celos ni envidias de otros. Algunos son adictos al deporte o a la comida, pero es mejor ser adictos a su presencia. ¡Volvámonos adictos a su presencia! Cada uno de nosotros debemos anhelar estar con Él. Nuestro corazón debe arder por tener una relación íntima con Él.

La vida de oración de Jesús y su comunión con el Padre

Analicemos la vida y la naturaleza de la oración de Jesús para que aprendamos de Él.

Jesús oraba en todo tiempo. Aunque Él era el Hijo de Dios, tenía esa comunión íntima con el Padre; y la oración para Él, era un valor y una prioridad.

¿Cuándo oraba Jesús?

- **Jesús oraba por la mañana.** Al orar por la mañana, nos muestra la prioridad que el Señor Jesús le daba a su comunión con el Padre; esto era lo primero que Él hacía.

   «³⁵Levantándose muy de mañana, siendo aún muy oscuro, salió y se fue a un lugar desierto, y allí oraba». Marcos 1.35

- **Jesús oraba por la noche.** Después de ministrar, orar por los enfermos, echar fuera demonios y predicar la Palabra, Jesús sabía que quedaba vacío porque lo había dado todo. Por eso, iba a orar.

   «¹²En aquellos días Él fue al monte a orar, y pasó la noche orando a Dios». Lucas 6.12

- **Jesús oraba por la tarde.** Una vez más, vemos que Jesús mantenía una actitud de oración constante durante todo el día.

   «²³Después de despedir a la multitud, subió al monte a orar aparte; y cuando llegó la noche, estaba allí solo». Mateo 14.23

Nótese que cada día que Jesús oraba, lo hacía solo. Esto nos da a entender que la oración es algo personal con Dios. Siendo Jesús el Hijo de Dios, oraba todo el tiempo. Aquí podemos ver, su total dependencia hacia el Padre por medio de la oración. Si Él hizo esto, siendo el Hijo de Dios, cuánto más nosotros, que somos hombres y mujeres con defectos y faltas. Necesitamos vivir en comunión con el Padre todos los días.

Hay algunas preguntas que nos hacemos regularmente acerca de la vida de oración de Jesús. Éstas son:

- ¿Con quién oraba Jesús? Él oraba aparte, solo y con sus discípulos. Nosotros también debemos tener un tiempo a solas con Dios y un tiempo para orar en compañía de otros.

«²⁸Como ocho días después de estas palabras, Jesús tomó a Pedro, a Juan y a Jacobo, y subió al monte a orar. ²⁹Mientras oraba, la apariencia de su rostro cambió y su vestido se volvió blanco y resplandeciente». Lucas 9.28, 29

- ¿Dónde oraba? En desiertos y en los montes. Ahora vivimos en un tiempo donde las personas no oran cuando hay una incomodidad, pero Jesús oraba en cualquier situación: en el frío o en el calor, en el desierto, en el monte, entre otros.

«¹⁶Mas Él se apartaba a lugares desiertos, y oraba». Lucas 5.16

Algunas personas creen que Jesús tenía un cuarto con aire acondicionado, y eso no era así. Jesús oraba en el desierto, donde la noche era muy fría, y durante el día, cuando hacía mucho calor.

- ¿Cuánto tiempo oraba? Oraba desde una hora hasta toda la noche. También, hacía oraciones hasta medio día. La vida de oración de Jesús duraba entre una hora y ocho horas diarias, según lo que podemos ver en las Escrituras.

¿Qué era lo que Jesús oraba? ...el Padre Nuestro.

«¹Aconteció que estaba Jesús orando en un lugar y,

cuando terminó, uno de sus discípulos le dijo: Señor, enséñanos a orar, como también Juan enseñó a sus discípulos». Lucas 11.1

El Padre Nuestro fue una guía para que podamos orar, pero no es para repetirlo literalmente.

- ¿Qué enseñó Jesús a los discípulos con respecto a la oración? Cuando vemos la vida de oración de Jesús, podemos concluir lo siguiente: Oraba siempre, en todo tiempo y en cualquier lugar. Oraba por largos períodos de tiempo. Oraba solo, aparte y con sus discípulos. Tenía la oración (la comunión con el Padre) como su primera prioridad; ésta era un valor en su vida. Si la comunión con Dios era una prioridad para Él, también debe serlo para nosotros.

¿Cómo podemos aplicar esto a nuestra vida?

Si nosotros buscamos su rostro, todo lo demás será añadido. Si nos ocupamos primero de tener una relación cercana con Él, todo lo demás vendrá como añadidura. Cada uno de nosotros debe tener la oración como una prioridad, y nuestra relación con Él debe ser lo más importante.

«³³Buscad primeramente el reino de Dios y su justicia, y todas estas cosas os serán añadidas». Mateo 6.33

¿Cuáles son los beneficios de mantener una comunión íntima con Dios?

1. Tendrán paz

   «²¹Vuelve ahora en amistad con Dios y tendrás paz; y la prosperidad vendrá a ti». Job 22.21

La palabra paz en el hebreo es *"shalom"*, que significa: estar seguro, estar completo, fortalecido, próspero y en abundancia. En otras palabras, este verso nos está diciendo que nuestra paz es producto de nuestra relación con Dios. No se puede tener paz si no tenemos una relación íntima con Él. La falta de paz con Dios es el producto de no tener una vida de oración continua.

2. Harán proezas y hazañas

«³²Con lisonjas seducirá a los violadores del pacto; pero el pueblo que conoce a su Dios se esforzará y actuará». Daniel 11.32

Es interesante lo que significa la palabra conoce. En el idioma hebreo, esta palabra es *"yada"*, que significa tener intimidad con, o tener relaciones íntimas con. La idea que da esta palabra es cuando dos personas ponen su cabeza sobre una almohada y se ven cara a cara para hablar. La palabra actuar significa hacer hazañas y proesas, hechos atrevidos y poderosos. Del verso anterior, se deduce lo siguiente: el pueblo que tiene comunión íntima con Dios, se parará firme y hará hazañas y proezas para Dios; hechos atrevidos y poderosos que otros nunca han hecho. ¿Qué podemos concluir de esto? Que Dios solamente puede hacer hazañas y proezas, actos atrevidos, maravillas y milagros por medio de nosotros si tenemos intimidad con Él. Es por eso, que hoy día hay pocos hombres y mujeres, por medio de los cuales Dios hace maravillas. La razón de esto es porque han perdido la comunión íntima con Él y han estado haciendo el trabajo en sus propias fuerzas. Cuando los apóstoles fueron amenazados de no predicar, ellos pidieron una sola cosa: denuedo. Esta palabra en el griego es *"parrehesia"*, que significa: audacia, intrepidez, osadía, valor, franqueza para hablar con atrevimiento. Para que alguien pueda hacer cosas poderosas para Dios, es necesario la audacia, la osadía y el hablar con valor.

La audacia, la osadía y el hablar con valor es una virtud que viene como resultado de nuestra comunión con Dios y no como obra humana.

3. Estarán satisfecho y completo.

«*²⁵Porque satisfaré al alma cansada y saciaré a toda alma entristecida». Jeremías 31.25*

Cuando Jesús habló y dijo: "Bienaventurado", en el griego es *"makarios",* que significa: bendito, feliz de ser enviado, espiritualmente próspero, con vida, gozo y paz; satisfecho con el favor de Dios y completamente satisfecho, a pesar de las circunstancias. Si el Señor dijo eso de nosotros, entonces, ¿por qué muchos creyentes no están satisfechos y se sienten incompletos? Porque el estar completo y satisfecho en nuestra alma es producto de una comunión íntima con Dios. Él es el único que llena nuestra alma cuando estamos tristes. Él es el único que llena y satisface el alma cuando no recibimos suficiente amor de nuestra familia; es el único que satisface totalmente los vacíos de amor en nuestra alma. Todo esto lo hace el Señor sólo cuando tenemos comunión íntima con Él. Para que podamos estar completos, seguros, tranquilos, quietos y satisfechos, es necesario estar en comunión con Dios.

«*²³...la cual es su cuerpo, la plenitud de Aquel que todo lo llena en todo». Efesios 1.23*

¿Cómo tener comunión íntima con Dios?

1. Debemos humillarnos en su presencia.

Al hacer esto, estamos reconociendo que hemos perdido la comunión con Él, y que necesitamos de su gracia y de su favor para hacer lo que Él nos ha encomendado. El humillarse es reconocer que somos débiles, que hemos hecho muchas cosas en nuestras fuerzas sin depender de Él.

«[14]...si se humilla mi pueblo, sobre el cual mi nombre es invocado, y oran, y buscan mi rostro, y se convierten de sus malos caminos; entonces yo oiré desde los cielos, perdonaré sus pecados y sanaré su tierra».
2 Crónicas 7.14

2. Empecemos a orar ahora mismo.

«[21]Vuelve ahora en amistad con Dios y tendrás paz; y la prosperidad vendrá a ti. [22]Toma ahora la ley de su boca y pon sus palabras en tu corazón. [23]Si te vuelves al Omnipotente, serás edificado y alejarás de tu morada la aflicción. [24]Tendrás más oro que tierra: como piedras de arroyo, oro de Ofir. [25]¡El Todopoderoso será tu defensa y tendrás plata en abundancia! [26]Entonces te deleitarás en el Omnipotente y alzarás a Dios tu rostro. [27]Orarás a Él y Él te oirá; y tú cumplirás tus votos». Job 22.21-27

Creo que éste es el momento de empezar a buscar Su rostro. Paremos de hablar de oración; hagámosla y practiquémosla.

3. Busquemos su rostro.

La expresión "y buscaron mi rostro", significa indagar, buscar algo diligentemente, buscar algo con desesperación hasta encontrarlo. Creo que la iglesia de Dios no está buscando al Señor con desesperación, y que en el único momento que busca a Dios de esa manera, es cuando tiene problemas o está recibiendo persecución. De otra forma, estamos cómodos y no lo buscamos de corazón. Un ejemplo de buscar a Dios con desesperación lo vemos en David.

«Como el ciervo brama por las corrientes de las aguas, así clama por ti, Dios, el alma mía. ²Mi alma tiene sed de Dios, del Dios vivo. ¿Cuándo vendré y me presentaré delante de Dios?» Salmos 42.1, 2

«¹¡Dios, Dios mío eres tú! ¡De madrugada te buscaré! Mi alma tiene sed de ti, mi carne te anhela en tierra seca y árida donde no hay aguas, ²para ver tu poder y tu gloria, así como te he mirado en el santuario. ³Porque mejor es tu misericordia que la vida, mis labios te alabarán». Salmos 63.1-3

Podemos concluir, que uno de los propósitos principales de la oración, es tener comunión con Dios. El hombre fue creado para eso mismo, para que tuviera una eterna relación con Dios. Recordemos que Dios tiene comunión con aquellos que le temen, que aman lo que Dios ama y odian lo que Dios odia, y con los que son moralmente honrados. La comunión con Él debe ser una prioridad y un valor para nosotros, como lo fue para Jesús. Aunque Él era Hijo de Dios, oraba en todo momento y a cualquier hora del día. Debemos entender que la comunión íntima con Dios nos dará paz, denuedo y osadía para hacer cosas grandes para Él. Pero, sobre todas las cosas, la comunión íntima con Dios, nos llevará a estar satisfechos y en paz. No dependa de las circunstancias externas ni de las personas para estar feliz y contento. ¡Dios es suficiente!

El propósito de la oración

¿Cuál es el propósito de la oración?

Uno de los grandes problemas que he visto en el cuerpo de Cristo, es la falta de oración del pueblo de Dios. Las reuniones más pequeñas de las iglesias son las de oración. Una de las preguntas que nos hacemos al respecto es: ¿por qué las personas no oran? Creo que esto sucede por dos razones principales:

1. Las personas no conocen el propósito de la oración.

   ¿Qué es el propósito?

   El **propósito** es la intención original por lo cual fue creado algo.

   La primera razón por la que muchos creyentes no oran es porque no saben el propósito por el cual Dios creó la oración. Cuando no se conoce el propósito de algo, se mal usa o no se tiene visión ni dirección.

2. **Las personas no oran porque no tienen resultados positivos.**

   Al no conocer el propósito, automáticamente se pierde el sentido de la oración, y por tal razón, no tenemos buenos resultados, porque oramos mal.

Pero surgen más preguntas: ¿por qué debemos orar? Si Dios es poderoso y hace lo que Él quiere, ¿cuál es el propósito de la oración? ¿Por qué orar si Dios es soberano y hace lo que Él quiere? ¿Por qué orar si Dios no puede ser afectado por lo que hagamos? ¿Por qué orar si Dios lo sabe todo? ¿Por qué orar si Dios lo controla y lo predetermina todo? ¿Por qué orar si el enemigo ya fue vencido? ¿Por qué orar por los perdidos si es la voluntad de Dios que todos seamos salvos?

Todas éstas son preguntas válidas, y para contestarlas, tenemos que entender primero la verdadera naturaleza de Dios y sus propósitos para la raza humana. Esto nos va a guiar al propósito de la oración. Dios es un Dios de propósitos. Todo lo que Él creó en la tierra, incluyendo al hombre, fue creado para cumplir su propósito.

Dios creó al hombre con tres propósitos principales.

1. El hombre fue creado para reflejar la naturaleza de Dios y tener comunión con Él.

   «²⁶*Entonces dijo Dios:* **Hagamos al hombre a nuestra imagen, conforme a nuestra semejanza;** *y tenga potestad sobre los peces del mar, las aves de los cielos y las bestias, sobre toda la tierra y sobre todo animal que se arrastra sobre la tierra». Génesis 1.26*

   Esto significa que fuimos creados para tener su naturaleza y su carácter moral. La manera de desarrollar esta imagen y este carácter de Dios, es por medio de nuestra íntima comunión con Él. Jamás podremos parecernos a Dios si no tenemos una relación íntima con Él. Ningún ser humano puede estar satisfecho hasta que no logre tener una comunión íntima con Dios. Esto fue el propósito por el cual Dios nos creó, para que reflejemos su carácter, su amor, su bondad, su misericordia, su santidad, su paz, su autoridad y su poder. Todo esto no puede reflejarse si no se tiene una íntima comunión con Él.

2. **Dios creó la humanidad para llevar a cabo sus planes, sus propósitos y su voluntad en la tierra.**

Cuando Dios creó al hombre a su imagen, le dio al hombre un libre albedrío. Es decir, se le fue dada una voluntad con la habilidad de escoger y tomar decisiones, y por consiguiente, de tomar acción y cumplir con la voluntad de Dios en la tierra.

Dios creó al hombre con la libertad para funcionar en la tierra y le dio derecho legal y autoridad para operar en ella.

Dios puso su voluntad aquí en la tierra con la cooperación de la voluntad del hombre. Este propósito nunca cambió ni con la caída del hombre.

3. **Dios hizo al hombre para señorear la tierra.**

Cuando en Génesis 1.26, Dios dice: *"Y señoree",* le está dando la autoridad al hombre para que viva en la tierra y la gobierne. También, le está dando el derecho legal para que tome dominio y autoridad.

¿Cómo fue que Dios le dio la habilidad al hombre para señorear?

Primeramente, Dios creó al hombre con un espíritu, el cual salió de la misma esencia de Dios. De manera que, la raza humana tenía que gobernar en el mundo físico aquí en la tierra. Dios le dio al hombre un cuerpo físico manifestado en dos sexos: masculino y femenino. El hombre es el único que tiene derecho legal sobre la tierra. Si alguien no tiene cuerpo y alma, entonces está ilegal. Por esta razón, Dios no podía venir a la tierra sin un cuerpo físico, y esto ya Dios lo estableció en su Palabra.

Desde el principio, Dios estableció en su Palabra que el único que tiene derecho legal para gobernar, señorear y actuar aquí en la tierra es el hombre con un cuerpo físico.

Dios creó al hombre a su imagen, y esa imagen y semejanza se desarrolla por medio de la comunión íntima con Él. Dios creó al hombre para que llevase a cabo su voluntad en la tierra, y esto, por medio de darle una voluntad propia y un cuerpo físico para gobernar la tierra. Dios no puede hacer nada que vaya en contra de su Palabra. Por lo tanto, hay tres cosas que Él estableció en su Palabra desde un principio en Génesis 1.26.

- Dios es soberano como su Palabra.
- Dios está limitado por su Palabra. El Señor no puede ir más allá de lo que dijo y estableció.
- Dios nunca viola su Palabra. Todo lo que Dios habla viene a ser una ley.

La oración fue creada por las limitaciones de la Palabra, porque para que algo sea hecho en la tierra, tiene que ser hecho con el cuerpo físico y el espíritu.

Dios podía venir a la tierra sin un cuerpo físico, pero se estaría contradiciendo y sería ilegal, porque eso fue lo que dijo en su Palabra: que el ser humano con un cuerpo físico gobernaría la tierra. Si alguien más tratara de venir aquí a la tierra sin un cuerpo físico, sería ilegal. Por eso, tanto Dios como el diablo necesitan un cuerpo físico para actuar en la tierra. Por eso, el Señor le dijo al diablo: "yo vendré a la tierra legalmente y te pisaré la cabeza y lo haré por medio de la simiente de la mujer".

El diablo usó el cuerpo de la serpiente

«⁴Entonces la serpiente dijo a la mujer: No moriréis...» Génesis 3.4

Dios usó el cuerpo de la mujer

«¹⁵Pondré enemistad entre tú y la mujer, y entre tu simiente y la simiente suya; ésta te herirá en la cabeza, y tú la herirás en el talón». Génesis 3.15

¿Cómo fue que Dios entró a la tierra con un cuerpo físico?

* Dios se hizo Emmanuel, y este nombre se divide en dos palabras: *"em"*, que significa hombre y *"manuel"*, que significa Dios.

Dios le dijo a María: "yo necesito tu cuerpo para venir legalmente a la tierra. En otras palabras, Dios le dijo al diablo: la mujer será tu pesadilla.

Dios no puede interferir en la tierra sin la oración. La oración es el hombre dándole derecho legal a Dios en la tierra para que haga su voluntad.

Dios no nos usa porque somos inteligentes, indispensables o grandes, Dios nos usa porque está atrapado y limitado por su misma Palabra.

«*18De cierto os digo que todo lo que atéis en la tierra será atado en el cielo; y todo lo que desatéis en la tierra será desatado en el cielo». Mateo 18.18*

Cuando oramos, le damos permiso a Dios para que invada nuestra vida, transforme nuestra familia y cambie nuestras ciudades y países.

Dios lo quiere sanar, no solamente para que se sienta bien, sino porque lo necesita para llevar a cabo su voluntad.

Dios busca un cuerpo físico para orar

«*30Busqué entre ellos un hombre que levantara una muralla y que se pusiera en la brecha delante de mí, a favor de la tierra, para que yo no la destruyera; pero no lo hallé».
Ezequiel 22.30*

Dios está buscando un cuerpo con un espíritu que se ponga a favor de otros; un hombre o una mujer que quiera poner un vallado, una cobertura a la iglesia, a la familia, entre otros. Dios nos está diciendo que necesita a alguien que dé a luz sus planes aquí en la tierra. Él quiere salvar, sanar y traer un avivamiento a nuestra tierra. Dios quiere restaurar las familias, pero necesita que un hombre le deje usar su cuerpo físico para hacer todo esto.

Hay muchos planes y propósitos de Dios que nunca se cumplirán porque nadie intercedió aquí en la tierra para que se llevaran a cabo. La oración no es una opción sino una necesidad.

«*1También les refirió Jesús una parábola sobre la necesidad de orar siempre y no desmayar...» Lucas 18.1*

Somos colaboradores con Dios

«¹Así, pues, nosotros, como colaboradores suyos, os exhorta-
mos también a que no recibáis en vano la gracia de Dios... ».
2 Corintios 6.1

La palabra **colaboradores** significa aquellos que cooperan,
aquellos que ayudan con, trabajan juntos. Cada uno de
nosotros debe ver a la humanidad como parte y colaboradora
con Dios para que sus planes y sus propósitos sean hechos.
Jesús llevaba a cabo la voluntad del Padre por medio de la
oración. Hay una sola cosa que los discípulos le pidieron a
Jesús, y era que les enseñara a orar. Ellos no le pidieron que
les enseñaran a llevar a cabo milagros o a echar fuera demonios, sino que les enseñara a orar. ¿Por qué? Porque ellos
vieron los resultados de la vida de oración de Jesús. Los discípulos sabían cuál era el secreto de la vida de oración de Jesús.

El secreto del éxito de Jesús en el ministerio era su vida de
oración.

Jesús se pasaba cinco horas orando y después, le tomaba dos
segundo en sanar a un hombre ciego. Quiero que notemos
algo: Jesús, se pasaba horas haciendo una cosa y unos segun-
dos haciendo otra. Él continuamente operaba de esa manera.
Jesús se pasaba cuatro horas orando e intercediendo, y un minuto echando fuera un demonio y un minuto sanando al le-
proso. La Iglesia todavía no ha entendido la verdad de esto.
Nosotros nos pasamos unos minutos con Dios y después,
tratamos de hacer muchas horas de trabajo con las personas en
su nombre. Jesús echaba fuera un demonio en un segundo,
diciendo: "sal fuera" y el demonio salía, pero por la mañana
oraba cinco horas. Martín Luther King dijo esto: "más trabajo
es hecho por la oración que el trabajo mismo".

Horas con Dios, hacen los minutos más efectivos con los hombres.

Podemos concluir, que si nosotros pasamos horas con Dios, entonces nos tomará sólo minutos resolver los problemas aquí en la tierra.

El tiempo que pasamos con Dios no es gastado sino invertido. La preocupación de Jesús no era ministrar al hombre sino a Dios.

¿Qué pide Dios para hacer su voluntad en la tierra? Un hombre o una mujer que esté disponible.

«*Después oí la voz del Señor, que decía: ¿A quién enviaré y quién irá por nosotros? Entonces respondí yo: Heme aquí, envíame a mí». Isaías 6.8*

Dios no está interesado en nuestra habilidad, intelecto, capacidad, dones o talentos, sino en nuestra disponibilidad. Alguien que le diga: "Señor usa mi cuerpo físico para orar por las almas, por las finanzas, por el gobierno o por el pastor". Alguien que ore la voluntad de Dios y la traiga a la tierra. Dios quiere mostrar su carácter por medio de la comunión íntima con Él. Dios quiere que ejerzamos dominio y señorío aquí en la tierra, y que por medio de nuestro cuerpo físico y voluntad o libre albedrío, le demos derecho legal para llevar a cabo sus propósitos y planes en la tierra.

CAPÍTULO III

¿Qué es la oración y por qué la necesidad de orar?

En mi caminar con Dios, he leído muchos libros acerca de la oración. Algunos muy buenos, y otros, con ideas y conceptos equivocados acerca de lo que realmente es la oración. Para poder enseñar qué es la oración, se debe aclarar primero qué no es oración.

¿Qué no es la oración?

La oración no es un monólogo, no es rezar, porque rezar significa hacer vanas repeticiones, y esto no es otra cosa que orar consigo mismo. La oración tampoco es algo mecánico que hacemos para cumplir con Dios; no es un ejercicio religioso, no es solamente pedir a Dios un favor ni es una válvula de escape para aliviar la conciencia. Tampoco es usar a Dios como "bombero"; es decir, que le oramos solamente cuando tenemos necesidad.

En Mateo 6.7, dice: *"Y orando no uséis vanas repeticiones..."* Aquí vemos cómo Jesús está en contra de las repeticiones.

Al estudiar un poco sobre lo que no es la oración, nos hemos dado cuenta que por mucho tiempo, hemos estado haciendo vanas repeticiones, que no hemos orado conforme al corazón o a la Palabra, que lo que hemos tenido es un monólogo con nosotros mismos y, por consiguiente, no hemos tenido ningún resultado positivo en nuestras oraciones. Esto nos lleva a plantearnos la siguiente reflexión:

¿Dios escucha toda esta incredulidad? En una ocasión, un hombre de Dios estaba hablando con el Señor acerca de las vanas repeticiones, cómo rezar y hacer oraciones de incredulidad, y le preguntó: "¿qué haces tú con todo este tipo de oraciones?". El Señor le contestó: "¿cuáles oraciones?". "Señor, esas oraciones de duda e incredulidad". "Yo no sé de qué me hablas", le contestó el Señor. En otras palabras, el Señor le estaba diciendo que Él no oye ese tipo de oraciones, pues son vanas repeticiones. Muchos de nosotros hemos estado orando de esta manera, y con razón, Dios no nos contesta ni nos oye. Con esto en mente, estudiaremos ahora lo que es la oración y por qué la necesidad de orar siempre y no desmayar, según Jesús lo planteó.

¿Qué es la oración?

Es una conversación o un diálogo de nuestro espíritu con Dios. Es la comunión directa de nuestro espíritu con el Padre celestial. La razón por la cual menciono nuestro espíritu es porque Dios es espíritu, y nosotros dialogamos y oramos con Él por medio de nuestro espíritu.

«*23Pero la hora viene, y ahora es, cuando los verdaderos adoradores adorarán al Padre en espíritu y en verdad, porque también el Padre tales adoradores busca que lo adoren. 24Dios es Espíritu, y los que lo adoran, en espíritu y en verdad es necesario que lo adoren*». Juan 4.23, 24

Aunque nuestro propósito principal es tener comunión íntima con el Padre, también la oración tiene otras facetas, con las cuales podemos hacer diferentes tipos de oración. Por ejemplo, interceder por otros, haciendo guerra espiritual, entre otros. Antes de comenzar a estudiar el porqué de la necesidad de orar, analicemos algunos puntos importantes acerca de la oración.

¿Por qué a los creyentes les cuesta orar?

Ésta es una pregunta que se hacen miles de creyentes alrededor de la tierra. La oración es uno de los ejercicios espirituales que más nos cuesta realizar, ya que conlleva mucha disciplina. Hay varias razones por las cuales se nos hace difícil tener una vida de oración continua y perseverante. Veamos lo que dijo Jesús.

1. La carne es débil.

   «⁴¹Velad y orad para que no entréis en tentación; el espíritu a la verdad está dispuesto, pero la carne es débil». Mateo 26.41

   Cada uno de nosotros, debe entender que a nuestra carne, al viejo hombre y a la vieja naturaleza, no le gusta orar. Nuestra carne siempre está cansada, quiere dormir más, no quiere levantarse temprano y siempre está buscando excusas para no orar. Si entendemos esto desde el principio, podemos hacer algo para someter y crucificar la carne. En mi propia vida, he tenido momentos donde mi carne me dice: "duerme otra hora". La alarma suena y mi carne no quiere levantarse, pero es ahí donde la disciplina toma lugar. Así que me levanto, me lavo la cara y empiezo a orar. Una de las razones por las cuales ocurre esto, es porque la carne es débil y nunca quiere orar.

2. **Los resultados no siempre van de acuerdo al tiempo que oramos.** Por mucho tiempo, algunos de nosotros hemos estado orando por lo mismo, y no vemos resultados físicos que nos indiquen que nuestras oraciones han sido contestadas. Al ver esto, nos desanimamos y dejamos de orar.

3. **La oración es una inversión.** Algunas veces, tenemos que invertir mucho tiempo en oración para lograr grandes resultados. No espere que una pequeña oración resuelva todos sus problemas en un instante. Es necesario orar por mucho tiempo hasta que veamos la victoria.

4. **Porque no sabemos orar por un período de tiempo largo.** Una de las razones por las cuales a ciertas personas les cuesta orar, es porque después de cinco o diez minutos, se les terminó el repertorio. No saben qué más decirle a Dios, y por eso, se frustran y no continúan orando.

5. **Somos ignorantes acerca de la oración.** La ignorancia de cómo pedir, qué hacer cuando Dios nos habla, el cómo orar conforme a la Palabra, el no saber orar en el espíritu y el no saber nada de la oración, nos lleva a la frustración, y el resultado final, es que no queremos orar.

¿Cuál es la posición física para orar?

La palabra de Dios no nos ordena una posición física ni específica, aunque en la Escritura podemos ver diferentes posiciones físicas que podemos adoptar durante el período de oración, tales como: de rodillas, de pie, sentados, postrados, caminando, entre otras formas. Se podría decir que la posición no importa. Lo que importa es la actitud del corazón hacia Dios. Deberíamos tener siempre una actitud de gozo, reverencia, agradecimiento y de fe. En este libro, vamos a estudiar muchas preguntas que las personas se hacen acerca de la oración. Hay muchas personas que hablan y escriben sobre la oración, pero pocas son las que la practican. Se hizo una encuesta entre 3,000 líderes de los Estados Unidos de América, entre ellos: pastores, evangelistas, apóstoles y profetas, a quienes se les preguntó cuánto tiempo oraban. Para sorpresa de todos, la encuesta mostró los siguientes resultados: Un 70 por ciento oraba 30 minutos o menos diario; un 20 por ciento oraba 45 minutos a una hora diaria, y un 10 por ciento oraba una hora o más diariamente.

Si la condición espiritual de nuestro liderazgo está raquítica en la oración, cómo estará el resto del pueblo. Creo que es tiempo de orar, de buscar el rostro del Señor con todo el corazón y dejar de hablar de la oración para ponerla en práctica.

¿Por qué la necesidad de orar?

«¹Jesús les contó a sus discípulos una parábola para mostrarles que debían orar siempre, sin desanimarse». Lucas 18.1

Creo que es necesario que antes de responder a esta pregunta, nos hagamos otras preguntas acerca de ciertas verdades bíblicas, para luego aclarar por qué es necesario orar.

¿Por qué orar si Dios es soberano y hace lo que quiere y cuando quiere?

Si la Palabra dice que antes que nosotros abramos la boca, Él ya nos oyó, entonces, ¿por qué tenemos que orar? Si Satanás y sus demonios han sido derrotados y Jesús tiene la autoridad, ¿por qué orar en contra del enemigo? ¿Por qué tenemos que llevar las cargas los unos a otros si Dios hizo todo? ¿Para qué orar? Si la palabra de Dios dice que es la voluntad de Dios que todos los hombres sean salvos, entonces, ¿por qué tenemos que orar por los perdidos? La palabra de Dios tiene la respuesta para cada pregunta que tengamos. Iremos contestándolas de la mejor manera que podamos. Hay varias razones bíblicas por las cuales Dios desea que oremos. Otra forma de decirlo sería: hay varias razones que explican el porqué existe la necesidad de orar.

1. Dios trabaja por medio de los humanos.

Veamos un poco cómo sucedió al principio de la creación. Dios creó a Adán y su nombre significa "humano"; un ser humano, un hombre de carne y hueso, a quien Dios le entregó dominio y señorío. Él desea hacer su voluntad por medio del ser humano.

«*26Entonces dijo Dios: «Hagamos al hombre a nuestra imagen, conforme a nuestra semejanza; y tenga potestad sobre los peces del mar, las aves de los cielos y las bestias, sobre toda la tierra y sobre todo animal que se arrastra sobre la tierra». Génesis 1.26*

El hombre es el mayordomo, el representante de Dios aquí en la tierra; por lo tanto, es el responsable de ejercer su dominio y su autoridad. Dios lo usa como el medio para hacer el trabajo. Dios puede hacer lo que desee aquí en la tierra y en los cielos, sin la ayuda de nadie, pero a Él le ha placido usar seres humanos, con faltas y defectos; débiles que se equivocan. Dios obra sus planes y sus propósitos, según las oraciones de los seres humanos.

«*7Porque no hará nada Jehová el Señor, sin que revele su secreto a sus siervos los profetas». Amós 3.7*

Así como observamos a Dios trabajando juntamente con Adán, lo vemos trabajando con los profetas. Por esa razón, Él nos necesita para que oremos. Él nos ha escogido para que seamos colaboradores de lo que Él está haciendo aquí en la tierra. Dios necesita manos humanas para sanar, bocas humanas para hablar, pies humanos para ir a lugares, y que seamos sus representantes aquí en la tierra. Es por eso, que Dios usa seres humanos que oren e intercedan para que Él pueda llevar a cabo sus propósitos y sus planes.

Hay muchos planes y propósitos de Dios que todavía no se han llevado a cabo porque no hay hombres y mujeres que los den a luz en el espíritu.

2. Dios busca una familia para tener comunión.

Una de las razones por las cuales necesitamos orar, es porque Dios quiere una familia con quien tener comunión. Él quiere hijos, con los cuales pueda relacionarse y tener intimidad. Dios quiere una familia con la que Él pueda conversar, caminar y desarrollar esa comunión íntima, como lo vimos al principio del libro.

«¹⁴La comunión íntima de Jehová es con los que lo temen, y a ellos hará conocer su pacto». Salmos 25.14

3. Para que la voluntad de Dios sea hecha aquí en la tierra.

«²Hágase tu voluntad, como en el cielo, así también en la tierra». Lucas 11.2

Por medio de la oración, es que Dios ha llevado a cabo su voluntad aquí en la tierra. Todo lo que Dios ha hecho aquí en la tierra es porque alguien se lo ha pedido. Un ejemplo de cómo establecer la voluntad de Dios en la tierra como en el cielo es: Dios ha dicho que es su voluntad que todos los hombres sean salvos. Entonces, es necesario que esa voluntad se lleve a cabo aquí en la tierra para nuestra familia. ¿Cómo se hace esto? Esto se hace por medio de la oración. Recordemos que cuando Jesús habló de la oración, se refirió a ella como una necesidad. Una necesidad es algo básico que se requiere para sobrevivir. Por ejemplo, el comer o el dormir, y así mismo es la oración. Es algo que necesitamos para vivir, pues de otra manera, nos morimos espiritualmente. Hay muchos planes y propósitos de Dios sin llevarse a cabo, porque no ha encontrado hombres y mujeres que oren de acuerdo a su voluntad. Dios está buscando bocas aquí en la tierra para que proclamen y declaren su Palabra.

4. **La oración le da derecho legal a Dios para cambiar la voluntad del hombre.**

Es por medio de la oración, que Dios puede lidiar con una persona que no desea cambiar su condición. Cuando se ora por esa persona, Dios empieza a tocarla y a inquietarla, aunque su corazón no desee cambiar. No es que Dios viole su libre albedrío o su voluntad, ni tampoco hace que esa persona haga lo que Él quiere a la fuerza, sino que aunque ese hombre o mujer no quiera cambiar, Dios le pone el querer como el hacer, que no estaba en su corazón. Normalmente, después de orar, esa persona empieza a tener un deseo de cambio. Esto lo hace el Señor por medio de la oración.

«13...porque Dios es el que en vosotros produce así el querer como el hacer, por su buena voluntad».
Filipenses 2.13

¡Este verso es maravilloso! Nos da a entender que si una persona no quiere o no tiene el deseo de cambiar, Dios le puede poner, no solamente el deseo en el corazón, sino también la voluntad para hacerlo. Nuestras oraciones pueden traer cambios a los seres humanos, a las ciudades y a las naciones. Por eso, la oración es muy necesaria. A lo mejor, su cónyuge no tiene el deseo de conocer a Dios, pero por medio de la oración, Dios puede poner ese deseo y llevarlo a que conozca a Dios. No deje de orar hasta que vea la respuesta a su oración. A lo mejor, usted tampoco tiene el deseo de cumplir el llamado de Dios, pero sí de empezar a orar. Si así lo hace, Él empezará a colocar el deseo y la habilidad para cumplir su llamado.

Ilustración: "Trotar el caballo"

En una oportunidad, un vendedor de seguros de vida llegó muy molesto a donde su jefe y le dijo: "no pude vender nada. Ninguna de las personas que visité quiso adquirir un seguro de vida, y al fin y al cabo, no puedo obligarlas a comprar". El jefe le responde: "usted lleva el caballo a tomar agua, pero si éste no quiere, usted no lo puede obligar. Sin embargo, lo puede llevar a trotar lo suficiente hasta que tenga sed, y es entonces, que buscará el agua". Así mismo sucede con aquellas personas que no conocen al Señor o con aquellas que no desean hacer la voluntad de Dios, no las podemos obligar a buscar de Dios, pero sí podemos orar para que lo busquen; o sea, las podemos trotar por medio de la oración.

Las cosas son dadas a luz en la oración.

Analicemos, por un momento, el caso de Elías. Dios le da la idea de que pida para que no llueva por tres años y medio. Sin embargo, al final del capítulo, Elías pide lluvia.

«[1]Pasó mucho tiempo, y tres años después, llegó palabra de Jehová a Elías, diciendo: Ve, muéstrate a Acab, y yo haré llover sobre la faz de la tierra». 1 Reyes 18.1

«[41]Entonces Elías dijo a Acab: Sube, come y bebe; porque ya se oye el ruido de la lluvia». 1 Reyes 18.41

Seguidamente, vemos que Elías subió al Monte Carmelo y tomó una posición muy particular.

«⁴²Acab subió a comer y a beber. Pero Elías subió a la cumbre del Carmelo y, postrándose en tierra, puso el rostro entre las rodillas». 1 Reyes 18.42

Vemos que la descripción de su postura, es idéntica a la de una mujer dando a luz. ¿Qué representa o simboliza esta posición? Representa la oración dando a luz las cosas. La oración da a luz cosas en el espíritu y en lo físico. Lo que Dios nos está diciendo es que por medio de la oración, debemos dar a luz almas, tierras, recursos financieros, ministerios, entre otros.

¿Por qué Elías oró siete veces?

En 1 Reyes 18.44, dice: "... y la séptima vez dijo..." El número siete es el número perfecto, completo. Es el número de Dios que simboliza plenitud, la obra está terminada. En la oración, esto simboliza que debemos orar hasta que la obra esté completa, hasta que se logre un rompimiento y obtengamos la victoria.

Al terminar de leer este suceso, nos hacemos una pregunta: ¿por qué en este tipo de oraciones se requiere de perseverancia, a pesar de ser la voluntad de Dios, el tiempo de Dios y la idea de Dios? La razón es que aunque sea la voluntad de Dios, el tiempo de Dios y la idea de Dios, nosotros necesitamos aprender a orar hasta que venga "lluvia", porque Dios lo quiere hacer por medio de nosotros. ¿Cuántas promesas de Dios no se han cumplido porque Él no ha encontrado a una persona que ore? Cuando Dios nos pone a orar, debemos sentirnos privilegiados porque Dios nos está haciendo parte de su plan. Hay dos tipos de personas que Dios está buscando, tanto en el Antiguo Testamento como en el Nuevo Testamento, para que sean instrumentos y cumplir sus planes. Estas personas son:

- Intercesores

  «³⁰Busqué entre ellos un hombre que levantará una muralla y que se pusiera en la brecha delante de mí, a favor de la tierra, para que yo no la destruyera; pero no lo hallé». Ezequiel 22.30

  Los intercesores son aquellas personas que se paran en la brecha como mediadores entre Dios y la humanidad. Son aquellas personas que trabajan con Jesús, como el único mediador entre Dios y los hombres; son la extensión del ministerio de Jesús para orar por esta humanidad. Los intercesores son los que preparan el camino para que la voluntad de Dios sea hecha aquí en la tierra.

- Adoradores

  Éstos son los que hacen que la gloria de Dios descienda sobre la tierra. Mientras los intercesores aran el terreno, los adoradores hacen que la lluvia caiga sobre el terreno.

5. **La oración es hecha para no caer en tentación.**

Una de las razones por las cuales existe la necesidad de orar, es para no caer en tentación. Uno de los beneficios de la oración, es que nos da dominio propio sobre la tentación. Hay creyentes que caen ante la tentación porque no tienen vida de oración; por lo tanto, caen y son golpeados por el enemigo.

«⁴¹*Velad y orad para que no entréis en tentación; el espíritu a la verdad está dispuesto, pero la carne es débil*». *Mateo 26.41*

6. La oración es el medio para entregar nuestros problemas a Dios.

«⁷*Echad toda vuestra ansiedad sobre Él, porque Él tiene cuidado de vosotros*». *1 Pedro 5.7*

«⁶*Por nada estéis angustiados, sino sean conocidas vuestras peticiones delante de Dios en toda oración y ruego, con acción de gracias*». *Filipenses 4.6*

Dios usa la oración para que echemos sobre Él nuestras ansiedades, problemas y preocupaciones. Hay personas llenas de ansiedades en su corazón porque no tienen vida de oración y, por consiguiente, no le han entregado sus problemas a Dios.

Hemos estudiado, que Dios ha escogido seres humanos para llevar a cabo su voluntad aquí en la tierra. Dios busca una familia con la cual pueda tener amistad y comunión. Es mediante la oración, que Dios puede hacer que la voluntad del hombre cambie, poniéndole el deseo y la habilidad para cambiar. Otra razón por la cual orar, es para establecer la voluntad de Dios aquí en la tierra, así como en el cielo. La oración no nos deja caer en tentación y nos da la fortaleza para resistirla. También, es una forma para ir a Dios y entregarle todos nuestros problemas, depositando toda ansiedad sobre Él.

¿Cuál es el desafío para que nosotros empecemos a orar?

Estar disponibles en todo tiempo para orar, negar nuestra carne y ser instrumento para cumplir su voluntad. Debemos tomar como un privilegio el ser parte del plan original de Dios. Levantémonos y digámosle al Señor: "quiero empezar a orar y ser parte de lo que tú quieres hacer; ¡hazlo a través de mí!". Recuerde que la oración es una necesidad y si no la practicamos, nos iremos secando espiritualmente. ¡Decídase y empiece a orar hoy!

CAPÍTULO IV

Principios bíblicos para
orar
correctamente

Algunas veces, nuestras oraciones no están siendo contestadas; y una de las razones es, porque no sabemos los principios fundamentales de cómo orar efectivamente. Sin darnos cuenta, terminamos dándole golpes al aire, y en ocasiones, le damos al blanco; pero, realmente somos ignorantes de cómo orar correctamente. A continuación, vamos a estudiar algunos principios bíblicos para orar efectivamente, y cuando los practiquemos, tendremos grandes resultados.

I. El orar al Padre en el nombre de Jesús.

Aquí hay dos partes interrelacionadas: el Padre y el nombre de Jesús. Cuando el Señor estuvo físicamente en la tierra, Él nos enseñó que toda oración debe ser dirigida al Padre en el nombre de Jesús.

«23En aquel día no me preguntaréis nada. De cierto, de cierto os digo que todo cuanto pidáis al Padre en mi nombre, os lo dará. 24Hasta ahora nada habéis pedido en mi nombre; pedid, y recibiréis, para que vuestro gozo sea completo».
Juan 16.23, 24

Jesús dijo, que cuando oremos, lo hagamos diciendo así: "Padre nuestro que estás en los cielos". El Señor nos está mostrando que la prioridad de la oración es la comunión con el Padre.

¿Quién es el Padre?

Es la primera persona de la trinidad o de la deidad. La palabra Padre en el griego es *"Patter"*, que significa fundador, protector, proveedor, fuente, progenitor, sostenedor, líder, cultivador. La palabra hebrea de Padre es *"Abba"*, que significa papito (daddy). Es una palabra que expresa un amor y un cariño íntimo hacia Dios.

Para un judío, era un insulto llamarle a Dios "Papi"; aun el pronunciar el nombre propio de Dios era un insulto. Por esta razón, ellos le llamaron a Jesús blasfemo, porque no les era concebible que Él mencionara a Dios con esta familiaridad. Cuando Jesús vino a esta tierra, Él trajo consigo la reconciliación de Dios Padre con toda la humanidad, y ésta se llevó a cabo a través de su muerte y de su sacrificio. Tenemos el privilegio de llamarle Padre, Papi y Papito ("Daddy"). Lo que Jesús está diciendo es lo siguiente: si su oración va dirigida a Papi, ésta será contestada, porque usted se está acercando a Él como hijo legítimo y no como un bastardo.

«³²El que no escatimó ni a su propio Hijo, sino que lo entregó por todos nosotros, ¿cómo no nos dará también con Él todas las cosas?» Romanos 8.32

La razón por la cual Jesús nos dice que oremos al Padre en su nombre, es porque Él es nuestra fuente, nuestro protector, progenitor, proveedor, cultivador, sostenedor y defensor. Nosotros somos sus hijos, y Él es nuestro "daddy". Él desea una relación cercana con nosotros, donde podamos llamarle papi. Algunas personas no pueden desarrollar una relación íntima de padre a hijo con Dios porque tuvieron un mal padre en su vida, y piensan que Dios Padre es así; pero realmente, éste es un concepto equivocado. Dios es un Dios bueno que anhela tener comunión íntima con sus hijos.

¿Por qué Jesús dijo que pidiéramos y oráramos al Padre en Su nombre? A través de toda la Biblia, Dios se presenta a sus profetas dándoles su nombre, porque para un hebreo, en el Antiguo Testamento, el nombre representaba lo que era la persona y lo que tenía. Un ejemplo de esto es el caso de Moisés:

«*¹⁴Respondió Dios a Moisés: —"Yo soy el que soy". Y añadió: —Así dirás a los hijos de Israel: "Yo soy me envió a vosotros"*». *Éxodo 3.14*

El nombre propio de Dios es "yo soy el que soy" que es traducido en el hebreo "YHVH", y en el español, se traduce Jehová. El significado de este nombre es tan profundo que es muy difícil de explicar. Este nombre representa todo lo que Dios es, con toda su gloria, su poder y majestad.

¿Qué significa el nombre de YHVH? Significa uno que vive, que tiene vida o existencia por su propio deseo. En otras palabras, el significado de ese nombre sería: **"Yo soy el que soy, Yo soy el que seré, Yo soy el que fui, Yo soy el que existe y existiré por mi propio deseo de vida"**. Él es el Dios que abarca todas las conjugaciones verbales, y es el que tiene los tiempos en la palma de sus manos. Podríamos estar tratando de explicar este nombre, pero sería imposible de explicar con palabras humanas todo lo que Dios es. Si le damos una definición moderna, sería: Yo soy el Dios o el ser siempre existente y me voy a revelar, según ellos lo necesiten. Cada vez que Dios se le aparecía a uno de sus profetas, Él daba su nombre y los profetas entendían quién era, porque su nombre representaba todo lo que Él era. Dios se le apareció a diferentes profetas, sacerdotes y reyes con diferentes nombres. Hay doce revelaciones principales de su nombre, con los cuales se manifestó a sus siervos en el Antiguo Testamento. Hay otros nombres con los cuales Él se reveló al pueblo de Israel, pero éstas son las doce revelaciones principales.

Recuerde que en la tradición hebrea, el nombre representa la naturaleza y el carácter de la persona. Dios Padre Jehová, a través de todo el Antiguo Testamento, se presenta por medio de estas doce revelaciones principales de su nombre YHVH.

Cuando Dios quería cambiar el destino y el propósito de un hombre, le añadía una de las letras de su nombre. Por ejemplo, Abram (padre de una multitud) fue cambiado a Abraham (padre de muchedumbres). El nombre de Saraí, que significa manipuladora, fue cambiado por Sarah, que significa princesa. Lo único que Dios hacía era añadir la letra "H" del tetragramatón YHVH. De esta forma, cambiaba el propósito y el destino de la persona. Por medio de su nombre, Dios añadía su naturaleza, su carácter, su vida y su autoridad. El nombre de Dios es tan santo que, por esa razón, no se podía tomar el nombre de Dios en vano. Por eso, Jesús ora diciendo: "santificado sea tu nombre". Primero habla de orar al Padre en su nombre. Él habla de santificar su nombre primeramente, antes de continuar la oración. El Padre Nuestro fue escrito, no para hacer una repetición de ello, sino como un modelo a seguir para orar.

El nombre de Jesús exaltado

En el Nuevo Testamento, Dios deposita todo su poder y autoridad en un sólo nombre. Todas las doce revelaciones principales de su nombre, en el Antiguo Testamento, las puso sobre un sólo nombre: Jesús.

«[9]Por eso Dios también lo exaltó sobre todas las cosas y le dio un nombre que es sobre todo nombre...» Filipenses 2.9

«[21]...sobre todo principado y autoridad, poder y señorío, y sobre todo nombre que se nombra, no sólo en este siglo, sino también en el venidero». Efesios 1.21

Todo lo que se nombra aquí en la tierra y en el cielo tiene nombre, y el nombre de Jesús está por encima de todo nombre.

¿Qué significa el nombre de Jesús?

Jesús es la palabra hebrea "JESHUA", que significa Jehová es Salvación. La palabra salvación, en el Nuevo Testamento, es la palabra griega *"soteria"*, que significa salvación, sanidad, liberación, protección, prosperidad, fortaleza y seguridad. Recordemos que Dios vive en el eterno presente como lo es su nombre: "Yo soy el que soy".

Cuando mencionamos el nombre de Jesús, estamos diciendo lo siguiente: Jehová está salvando, Jehová está sanando, Jehová está liberando, Jehová está protegiendo, Jehová está prosperando y Jehová está fortaleciendo. En realidad, el nombre de Jesús, al ser pronunciado con fe, desata poder, porque toda la herencia de los cielos está sobre ese nombre. Jesús es y tiene todo lo que su nombre dice que tiene. Cuando pedimos a Dios Padre en el nombre de Jesús, es como si fuese la misma persona de Jesús pidiendo. Por esta razón, debemos orar al Padre en el nombre de Jesús.

La razón por la cual el nombre de Jesús tiene tanto poder y autoridad, es porque Él es Dios, todos los otros seres como Buda, Mahoma y otros, fueron meros hombres de carne y hueso. Jesús es el único ser que ha existido, que es 100 por ciento Dios y 100 por ciento hombre y nadie más. Dios no exalta el nombre de ningún hombre, sino que exalta su nombre mismo.

¿Por qué Dios le dio el nombre de Jesús a su Hijo?

1. Jesús obtuvo ese nombre porque se humilló. Él tomó forma de siervo y se humilló hasta lo sumo.

«⁵Haya, pues, en vosotros este sentir que hubo también en Cristo Jesús, ⁶el cual, siendo en forma de Dios, no estimó el ser igual a Dios como cosa a qué aferrarse, ⁷sino que se despojó a sí mismo, tomando forma de siervo, hecho semejante a los hombres; ⁸y estando en la condición de hombre, se humilló a sí mismo, haciéndose obediente hasta la muerte, y muerte de cruz». Filipenses 2.5-8

2. Jesús heredó ese nombre.

«²...en estos postreros días nos ha hablado por el Hijo, a quien constituyó heredero de todo, y por quien así mismo hizo el universo...» Hebreos 1.2

Dios constituyó a Jesús heredero de todo por sus méritos.

3. Jesús obtuvo ese nombre porque venció.

«¹⁴Él anuló el acta de los decretos que había contra nosotros, que nos era contraria, y la quitó de en medio clavándola en la cruz. ¹⁵Y despojó a los principados y a las autoridades y los exhibió públicamente, triunfando sobre ellos en la cruz». Colosenses 2.14, 15

Dios dio la autoridad y el poder al nombre de Jesús porque conquistó y venció a las potestades de las tinieblas, al infierno, a la muerte, a la cruz, y después de tres días, resucitó victoriosamente. Dios no le dio esa autoridad a Jesús porque simplemente quiso hacerlo, sino porque el Señor venció, se humilló y conquistó.

«¹⁸Jesús se acercó y les habló diciendo: Toda potestad me es dada en el cielo y en la tierra». Mateo 28.18

¿Cómo aplicamos el nombre de Jesús en la oración?

«[13]Todo lo que pidáis al Padre en mi nombre, lo haré, para que el Padre sea glorificado en el Hijo. [14]Si algo pedís en mi nombre, yo lo haré». Juan 14.13, 14

Toda oración dirigida al Padre, en el nombre de Jesús, será contestada. Cuando pedimos en el nombre de Jesús, es como si Jesús mismo se lo pidiera al Padre. La traducción de la Biblia amplificada dice: *"En aquel día no me preguntaréis nada, o cuando el tiempo venga no pedirán nada de mí, y les aseguro seriamente, solemnemente, que mi Padre les otorgará, les concederá todo lo que pidiereis en mi nombre».*

Si usted nota la última frase: "como presentando todo lo que soy", cada vez que el Padre nos concede una oración, está presentando lo que Jesús es. Él se convierte en todo lo que nosotros necesitamos en ese momento. Jesús es todo en todo. Jesús mismo ha otorgado y ha garantizado la respuesta de todas nuestras oraciones. Así que, pida y siga pidiendo, y recibirá de Dios lo que usted necesita.

La autoridad en el nombre de Dios

- En el nombre de Jesús, hay salvación.

    «[12]Y en ningún otro hay salvación, porque no hay otro nombre bajo el cielo, dado a los hombres, en que podamos ser salvos». Hechos 4.12

- El nombre de Jesús tiene sanidad.

    «[16]Por la fe en su nombre, a éste, que vosotros veis y conocéis, le ha confirmado su nombre; y la fe que es por

Él ha dado a éste esta completa sanidad en presencia de todos vosotros». Hechos 3.16

- En su nombre podemos echar fuera demonios.

«¹⁷Estas señales seguirán a los que creen: En mi nombre echarán fuera demonios, hablarán nuevas lenguas...» Marcos 16.17

¿Quién tiene derecho legal o autoridad para usar el nombre de Jesús?

- Todo creyente nacido de nuevo.

«¹²Mas a todos los que lo recibieron, a quienes creen en su nombre, les dio potestad de ser hechos hijos de Dios». Juan 1.12

¿Qué es autoridad?

Autoridad es la palabra griega "*exousia*", que significa derecho legal delegado para ejercitar dominio y señorío. Dios nos ha dado a cada creyente el derecho legal o el poder legal para ejercitar autoridad y poder en su nombre. ¿Qué es poder? Es la habilidad divina para llevar a cabo cualquier cosa. Nosotros los creyentes tenemos la autoridad y el poder divino para usar el nombre de Jesús y llevar a cabo cualquier cosa. Veamos un caso donde algunos individuos, no creyentes, quisieron usar el nombre de Jesús y no les funcionó porque no eran hijos de Dios.

«¹³Pero algunos de los judíos, exorcistas ambulantes, intentaron invocar el nombre del Señor Jesús sobre los que tenían espíritus malos, diciendo: ¡Os conjuro por Jesús, el que predica Pablo! ¹⁴Había siete hijos de un tal Esceva, judío, jefe de los sacerdotes, que hacían esto. ¹⁵Pero respondiendo el

espíritu malo, dijo: "A Jesús conozco y sé quién es Pablo, pero vosotros, ¿quiénes sois?". [16]El hombre en quien estaba el espíritu malo, saltando sobre ellos y dominándolos, pudo más que ellos, de tal manera que huyeron de aquella casa desnudos y heridos». Hechos 19.13-16

El nombre de Jesús tiene autoridad en tres lugares:

«[10]...para que en el nombre de Jesús se doble toda rodilla de los que están en los cielos, en la tierra y debajo de la tierra...» Filipenses 2.10

Los cielos. Esto implica el primer cielo azul que vemos todos los días. El segundo cielo es donde están los astros, las galaxias y los planetas; y el tercer cielo es donde Dios habita. El nombre de Jesús tiene poder y autoridad en todos los cielos.

La tierra. Es el planeta donde vivimos. Aun aquí, el nombre de Jesús tiene poder y autoridad.

Debajo de la tierra. Es donde está ubicado el infierno. No existe ningún lugar del universo donde el nombre de Jesús no tenga poder. Cuando confesamos el nombre de Jesús, obedecen los cielos y sus habitantes, obedecen las galaxias y los planetas. Debajo de la tierra, que es el infierno donde están los muertos y los demonios, también se sujetan en su nombre. Toda lengua tiene que confesar ese nombre y toda rodilla tiene que doblarse.

A continuación, presento testimonios de cómo el nombre de Jesús tiene autoridad y poder.

- Un misionero en México fue asaltado por un ladrón, quien le robó todo. Cuando el misionero ya se iba, el ladrón le apuntó para matarlo. De inmediato, el misionero señaló al ladrón y le dijo: "en el nombre de Jesús te ordeno que sueltes esa pistola". Al instante, el hombre cayó de rodillas, soltó la pistola, se convirtió a Jesús, recibió la llenura del Espíritu Santo y le devolvió todo lo que le había robado.

- Smith Wigglesworth resucitó un muerto de dos días en la funeraria. Llegó a la funeraria y Dios le habló diciéndole: "levántalo y resucítale". Al instante, empezó a orar, lo sacó del ataúd, le ordenó que viviera en el nombre de Jesús, pero cayó al piso. Lo volvió a levantar y lo cogió por el cuello ordenándole que resucitara, pero volvió a caer al piso. De inmediato, lo puso contra la pared, le ordenó que resucitara y, al instante, empezó a caminar. Esto es lo que sucede cuando creemos en el nombre de Jesús.

- Smith Wigglesworth estaba descansando en su casa, cuando le llegó la noticia de que su esposa había muerto. De inmediato, él pidió que se la trajeran a la casa, y encerrándose en su oficina, comenzó a ordenarle al espíritu de muerte que la soltara en el nombre de Jesús. Al instante, revivió, y su esposa le preguntó por qué lo había hecho si ése era su tiempo, y ella vivió para contarlo.

- Otro caso es el esposo de una mujer que sufrió un ataque al corazón. Él estaba comiendo cuando, súbitamente, le dio un paro cardíaco que lo mató al instante. Cuando la esposa entró a la casa comenzó a orar, y le ordenó, en el nombre de Jesús, que volviera a la tierra. En ese momento, el esposo abrió los ojos, pero después que él volvió, le contó a su esposa que mientras iba entrando al cielo, oía una voz desde la tierra que retumbaba en los cielos, que decía: "Yo te ordeno en el nombre de Jesús que vuelvas a la tierra". Al instante, el esposo vio a Jesús que lo miró, le sonrió y luego le dijo: "tienes que volver a la tierra porque hay una hija mía que está ejercitando fe en mi nombre y tengo que honrarla..." ¡Gloria a Dios!

* En Cuenca, Ecuador, mientras oraba por los enfermos, le dije a una mujer que estaba en silla de ruedas: "levántate en el nombre de Jesús". De repente, la mujer comenzó a caminar y Jesús la sanó instantáneamente.

* En Miami, Florida, en una cruzada de sanidad y milagros, oré por nueve personas que estaban en silla de ruedas. Cuando dije: "levántate y anda", de las nueve, siete de ellas se levantaron y empezaron a caminar.

* He visto al Señor sanar cáncer, quistes, artritis, tumores, y los ojos de los ciegos, porque el nombre de Jesús tiene poder. Su vida de oración va a cambiar cuando empiece a desatar su fe en el nombre de Jesús.

¿Cómo desarrollar fe en el nombre de Jesús?

«[16]Por la fe en su nombre, a éste, que vosotros veis y conocéis, lo ha confirmado su nombre; y la fe que es por Él ha dado a éste esta completa sanidad en presencia de todos vosotros».
Hechos 3.16

Todo creyente tiene un cheque en blanco. Solamente tiene que escribir lo que desea en ese cheque. Haga una lista de las cosas que desea y pídaselas al Padre en el nombre de Jesús y le será hecho.

* Una vez en Honduras, mientras predicaba de que el nombre de Jesús es como un cheque en blanco, en el que le podemos pedir al Señor todo lo que querramos y Él nos

respondería, se acercó a mí una hermana y me dijo: "tengo asma, artritis y miopía". Oré por ella y al instante, recibió su sanidad. Dios la sanó de las tres enfermedades, pero después de haber orado por ella, me dijo algo que me impactó: "Yo sabía que tenía un cheque en blanco; por eso, escribí en él todo lo que necesitaba, y Dios me sanó".

Hay personas que tienen miedo de que el enemigo les escuche lo que piden. Pero, si usted le pide al Padre en el nombre de Jesús, su oración no será interrumpida sino que va directamente al cielo. Cada vez que oramos en el nombre de Jesús, nuestras oraciones serán contestadas. Dios respalda su Palabra y su nombre, y es por eso, que nuestras oraciones están garantizadas. Utilice ese cheque en blanco y escriba en él todo lo que desee que el Padre haga, y estoy seguro que Él responderá para confirmar el nombre de Jesús. Seguidamente, estudiaremos otros principios bíblicos de cómo orar correctamente.

II. Orar específicamente

Ya estudiamos, que el primer principio para orar, es orar al Padre en el nombre de Jesús. El segundo, es orar específicamente. Uno de los problemas de los creyentes es que, cuando oran, no son específicos. Dios dice que oremos específicamente, pues el Señor desea complacernos aun en los pequeños detalles. Por eso, cuando vaya a pedir algo, sea específico en su petición, y Él le responderá de acuerdo a la petición que usted hizo. Si no es de esta manera, usted empezará a dudar y el que duda no puede recibir algo de Dios.

«*⁶Pero pida con fe, no dudando nada, porque el que duda es semejante a la onda del mar, que es arrastrada por el viento y echada de una parte a otra. ⁷No piense, pues, quien tal haga, que recibirá cosa alguna del Señor, ⁸ya que es persona*

de doble ánimo e inconstante en todos sus caminos».
Santiago 1.6-8

A continuación, relataré un testimonio personal de cómo orar específicamente:

Hace unos doce años atrás, mi esposa y yo no teníamos casa propia, pero una noche nos pusimos de acuerdo acerca del tipo de casa que queríamos y se la pedimos al Señor con las siguientes características:

Tres cuartos, dos baños, un patio bien grande, que estuviese cerca de una escuela, cerca de la autopista y que tuviese un precio entre 80 y 100 mil dólares. Por último, mi esposa pidió que la casa tuviera un tipo de planta que produce una flor roja bien grande en la entrada de la casa. Después que oramos y nos pusimos de acuerdo, esperamos un año. Un día, me llamaron para una casa y fui a verla. Dios nos habló que ésa era la casa. Para sorpresa nuestra, encontramos que la casa tenía tres cuartos, dos baños y un patio grande. También, la casa estaba cerca de una escuela y de la autopista. A parte de eso, nos la dieron al precio que le habíamos pedido al Señor, y para terminar, tenía la planta frondosa que producía las flores rojas. Dios nos la dio exactamente como la habíamos pedido. Dios sí contesta nuestras oraciones, pero debemos ser específicos en todo momento.

Hay muchas personas que piden, pero piden mal, y como resultado, sus oraciones no son contestadas. Si usted va a pedir por un cónyuge, diga cómo lo quiere: alto o bajo, misionero, predicador, músico o con un corazón que le sirva a Dios. Si usted está pidiendo un trabajo, déjele saber a Dios qué tipo de trabajo desea tener, qué le gustaría hacer en ese trabajo y cuánto le gustaría ganar. Si usted está pidiendo un carro, entonces, especifique qué tipo de carro desea tener, de qué año, cuál es su presupuesto, de qué color le gustaría, de qué marca, entre otras especificaciones. En conclusión, si usted desea grandes resultados en sus oraciones, debe ser específico con el Señor cuando le pida.

III. Acercarse por medio de la fe

Una de las razones por las cuales muchos creyentes no pueden desarrollar una vida de oración continua, sin desmayar y sin desanimarse, es porque cuando oran, no sienten nada físico. Tenemos que tener presente que cuando vamos a orar, no siempre tenemos que sentir algo. Algunas veces, sí sentimos la presencia de Dios, pero esto no ocurre todo el tiempo; entonces, hágalo por fe y no por emociones.

«*⁶Pero sin fe es imposible agradar a Dios; porque es necesario que el que se acerca a Dios crea que le hay, y que es galardonador de los que le buscan*». *Hebreos 11.6*

Es interesante el final del verso que dice: "que Dios es galardonador de los que le buscan diligentemente", según dice en algunas traducciones. Lo que podemos concluir es que el buscar a Dios tiene recompensa. ¿Cuál será la recompensa? La recompensa será lo que le pedimos a Dios cuando le buscamos en oración.

Al principio del versículo, dice: "es necesario que el que se acerca a Dios crea que le hay", y nosotros debemos creer que Dios esta allí para nosotros cuando oramos, aunque no lo veamos ni lo sintamos. Tenemos que aprender a orar por fe y no por emociones.

Es por eso, que en la traducción amplificada dice: "aquellos que le buscan diligentemente". Esto implica que debemos ser perseverantes en la oración, aunque nada significativo suceda en nuestro tiempo de oración. Solamente tenemos que entender que Él es galardonador si le buscamos con todo el corazón.

IV. Pedir la asistencia del Espíritu Santo

Creo, personalmente, que nuestra vida de oración sería vacía, mecánica y sin la vida de Dios si no fuera por la ayuda del Espíritu Santo. Es importante que le pidamos ayuda al Espíritu Santo para orar, porque de otro modo, lo estaríamos haciendo con nuestras propias fuerzas.

«[26]De igual manera, el Espíritu nos ayuda en nuestra debilidad, pues qué hemos de pedir como conviene, no lo sabemos, pero el Espíritu mismo intercede por nosotros con gemidos indecibles». Romanos 8.26

Primeramente, veamos algunas palabras claves de este verso: *"de igual manera el Espíritu"*. Hay otra traducción que dice: *"de igual manera el Espíritu Santo mismo"*. Esto nos da a entender que si nosotros cedemos nuestra voluntad en el momento de la oración, Él mismo tomará control de la oración y seremos efectivos.

Acertadamente, el verso dice: *"El Espíritu nos ayuda"*. La palabra **ayuda** en el idioma griego es *"antilambano"*, que significa tomar el lugar de, uno que nos toma de la mano, junto con, en contra de. Esto nos indica que es el Espíritu Santo el que nos toma de la mano para ir al Padre en el nombre de Jesús, juntamente con Él, tomando el lugar por nosotros, y cuando vamos a orar contra el enemigo, Él es quien nos lleva, nos ayuda y nos guía.

También, es interesante destacar lo que dice acerca de que Él "nos ayuda en nuestra debilidad". Al principio, estudiamos que uno de los obstáculos por los cuales nos cuesta orar, es porque la carne es débil, no quiere orar, nunca tiene deseo, pero es ahí donde entra la ayuda del Espíritu Santo. Nosotros debemos invitarlo a que nos ayude a orar. Una de las primeras cosas que yo hago antes de empezar mi tiempo de oración, es invitar al Consolador a que me ayude a orar. Cuando hago esto, mi oración es efectiva, dinámica y me llena de la presencia de Dios.

¿Por qué tenemos que pedir la ayuda del Espíritu Santo para orar?

En Romanos 8.26, dice: *"pues qué hemos de pedir como conviene, no lo sabemos"*. La mayoría de las veces, nosotros no sabemos qué orar ni cómo orar, de modo que es importante que sea el Espíritu Santo que nos ayude, ya que Él sabe y conoce cuál es la voluntad de Dios para los santos. Al orar de acuerdo a su voluntad, tendremos la respuesta a las peticiones que le hagamos.

¿Qué debemos hacer antes de empezar a orar?

Invitar al Espíritu Santo para que nos ayude a orar, y para que nos muestre el corazón y la voluntad del Padre. También, debemos invitarlo para que tome control de nuestra agenda en ese día.

V. Orar conforme a la Palabra

Dios no contesta oraciones solamente por la necesidad de las personas. Dios contesta nuestras oraciones cuando oramos de acuerdo a su Palabra.

«¹⁴Ésta es la confianza que tenemos en Él, que si pedimos alguna cosa conforme a su voluntad, Él nos oye».
1 Juan 5.14

Cuando el verso anterior dice: *"de acuerdo a su voluntad"*, ¿a qué se está refiriendo? Pedir a Dios conforme a su voluntad es pedir de acuerdo a su Palabra, conforme a lo que está escrito en ella. Esto nos garantiza que nuestra oración es contestada.

¿Por qué Dios no contesta las oraciones de muchos creyentes?

«³Pedís, pero no recibís, porque pedís mal, para gastar en vuestros deleites». Santiago 4.3

Como podemos ver, la razón por la cual Dios no contesta nuestras oraciones, es porque pedimos mal; es decir, nuestras peticiones no están de acuerdo a su Palabra, sino que están de acuerdo a nuestros propios deleites. Entonces, tenemos que cambiar nuestra manera de pedir para que podamos obtener resultados positivos. ¿Cómo podemos pedir conforme a su voluntad? Conociendo lo que su Palabra dice y conociendo sus promesas para cada situación de necesidad. Por ejemplo, si necesitamos algo material, busquemos un verso o una promesa bíblica que nos respalde acerca de eso, y entonces, hagámosle la petición a Dios.

¿Por qué orar conforme a su voluntad?

...Dios respalda su Palabra solamente.

«³⁵El cielo y la tierra pasarán, pero mis palabras no pasarán». Mateo 24.35

Cuando oramos conforme a su Palabra, Dios está obligado a cumplir lo que ha prometido, y por eso, ella es una firme ancla a nuestra alma. Dios es verdadero y veraz; si pedimos conforme a su Palabra, Él la pondrá por obra.

«¹²Me dijo Jehová: Bien has visto, porque yo apresuro mi palabra para ponerla por obra». Jeremías 1.12

Algunas veces, creemos en la palabra de un hombre. Por ejemplo, cuando usted va a buscar trabajo, llena la solicitud y se la entrega al jefe. El hombre le dice que está contratado y que regrese en una semana para empezar a trabajar. Así que, usted se va contento a su casa porque el jefe lo contrató. Entonces, empieza a hacer planes con el cheque que le darán, porque el jefe le dijo que recibirá 500 dólares a la semana. Ahora, usted no le preguntó al jefe cuánto dinero tenía en el banco ni le pidió que le mostrara el dinero que tenía en efectivo. Entonces, ¿en qué usted está confiando? Está confiando en la palabra de un hombre (del jefe) que le dijo que usted está contratado y que le pagará 500 dólares a la semana. Ahora, yo le pregunto: si pudo confiar en la palabra de un hombre de carne y hueso, con debilidades y defectos, ¿cuánto más debería confiar en la Palabra de Dios y en lo que Él nos ha prometido? Tengamos confianza que Él cumplirá todo lo que prometió, porque Él es fiel.

En **Romanos 3.4**, dice: *"Antes bien sea Dios veraz y todo hombre mentiroso".*

«²⁰...porque todas las promesas de Dios son en Él «sí», y en Él «Amén», por medio de nosotros, para la gloria de Dios». 2 Corintios 1.20

Otra de las razones por las cuales debemos orar conforme a su Palabra es:

- La integridad y la reputación de Dios.

  Si Dios no contesta nuestras oraciones, su integridad y su reputación están en juego. Por lo tanto, Él cumplirá lo que Él promete. Un ejemplo de esto fue el caso del pueblo de Israel.

  «¹⁴...y se lo dirán a los habitantes de esta tierra, los cuales han oído que tú, Jehová, estabas en medio de este pueblo, que cara a cara aparecías tú, Jehová, y que tu nube estaba sobre ellos, que de día ibas delante de ellos en una columna de nube, y de noche en una columna de fuego. ¹⁵Si haces morir a este pueblo como a un solo hombre, la gente que haya oído tu fama dirá: ¹⁶"Por cuanto no pudo Jehová introducir a este pueblo en la tierra que había jurado darle, los ha matado en el desierto». Números 14.14-16

  Aprendamos a orar conforme a la Palabra. Dios no solamente se mueve por la necesidad, sino también por causa de su Palabra. Busquemos las promesas que Dios tiene para nuestra vida.

¿Cuáles son los pasos para orar de acuerdo a la Palabra?

1. **Decida lo que quiere de Dios.** Recuerde lo que estudiamos al principio: es necesario ser específico. Usted no puede estar indeciso en lo que quiere de Dios, tiene que estar seguro de lo que desea pedir.

2. **Busque una escritura, en la cual se base su petición.** Aquí es donde muchos creyentes tienen problemas porque no pueden encontrar escrituras con promesas, debido a que no conocen la palabra de Dios y tampoco la han estudiado.

Es importante que su petición esté basada en una o más escrituras bíblicas que le garanticen la respuesta.

Creo que para cada situación que se nos presente, debemos tener una escritura. Tenemos que decir lo que Jesús dijo: *"escrito está".* La palabra de Dios debe morar en abundancia en nuestro corazón y en nuestra boca.

3. **Pida a Dios por las cosas que necesite.** Una de las cosas que dice la Biblia es que no recibimos porque no pedimos. Tenemos que pedir a nuestro Padre confiadamente, sabiendo que Él nos oirá. Pídale en confianza todas las cosas que desee, sea específico, enumere y dígale al Señor los detalles de lo que desea, pues Él cumplirá los deseos de nuestro corazón.

«24Por tanto, os digo que todo lo que pidáis orando, creed que lo recibiréis, y os vendrá». Marcos 11.24

4. **Crea que usted recibe su petición.** Cuando usted ore, crea y tenga confianza. Esté confiado que eso le es otorgado y que usted lo va a recibir. Quizás, no lo recibe allí mismo físicamente o en el momento que lo pide, pero si tiene confianza, eso le vendrá.

«24Creed que lo recibiréis y os vendrá». Marcos 11.24

¿Qué cosas se deben hacer después de orar y creer que lo ha recibido? Le voy a dar algunas claves que le ayudarán a no perder la bendición y a recibir su respuesta.

• **No dude.** No permita que el enemigo le traiga pensamientos de duda e incredulidad. Lleve cautivo todo pensamiento de duda y échelo fuera.

- **Medite en la promesa.** Medite constantemente en las promesas, las cuales usted basó su fe.

  «⁷Si permanecéis en mí y mis palabras permanecen en vosotros, pedid todo lo que queráis y os será hecho».
  Juan 15.7

- **Dé gloria y honra a Dios con acción de gracias.** Cada vez que usted se recuerde de la petición, déle las gracias y la gloria al Señor por la respuesta.

Recuerde que estos pasos se pueden utilizar cuantas veces desee. No pare de orar hasta que obtenga la respuesta física completa y vea la victoria. En conclusión, si deseamos orar efectivamente y queremos tener las respuestas a nuestras oraciones, debemos primero orar al Padre en el nombre de Jesús, orar específicamente, o sea, pedirle al Señor con detalles, orar por medio de la fe, pedir la ayuda del Espíritu Santo y orar conforme a la Palabra. Si hacemos esto, nuestra vida de oración se mejorará.

CAPÍTULO V

¿Cómo desarrollar una vida de oración constante?

Otro de los problemas más grandes en los creyentes, en el área de la oración, es que desmayan y no pueden orar continuamente. No logran ver sus oraciones contestadas porque se dan por vencidos y no pueden mantener una vida de oración constante. A continuación, vamos a estudiar algunos puntos importantes que nos ayudarán a tener una vida de oración continua y constante.

1. El Compromiso

¿Qué es compromiso?

Es tomar una decisión de calidad por un largo tiempo con todo el corazón y sin volver atrás.

Éste es el primer paso para poder tener una vida de oración constante y continua en nuestra vida. Nosotros mismos tenemos que tomar una decisión de orar todos los días, sabiendo que si no lo hacemos, la voluntad de Dios está siendo obstaculizada en nuestra vida, y Dios no puede tener una comunión íntima con nosotros. Pero si oramos, Él nos puede revelar sus propósitos, porque Dios usa a los humanos para llevar a cabo su voluntad. Dios quiere cambiar y tocar personas, países, continentes, y poner en ellos el querer como el hacer. Para eso, es necesario mantener una vida de oración continua. También, debemos entender que si no oramos, estamos propensos a caer en tentaciones. Por eso, hay que tomar una decisión y hacer un compromiso de orar siempre.

¿Qué hacemos con el pueblo indeciso y sin compromiso para orar?

«14Muchos pueblos en el valle de la decisión; porque cercano está el día de Jehová en el valle de la decisión». Joel 3.14

Nuestro trabajo como ministros, es llevarlos a tomar una decisión de calidad, y ésta es la de desarrollar una vida de oración constante para que se acerquen a Dios y busquen su rostro. Los primeros que deben empezar a orar son los hombres, y después, sus mujeres y sus hijos.

Hay cuatro mecanismos que pueden utilizar los hombres para provocar que la gloria de Dios o la bendición de Dios se derrame sobre un hogar o una cosa.

- **Ser los primeros en servir.** Cuando el hombre encabeza el servicio a Dios, la bendición se aumenta en su vida.

- **Ser los primeros en alabar y adorar.** Ellos deben ser los primeros en levantar sus manos, en darle honra y gloria a Dios.

- **Ser los primeros en orar.** Cuando el hombre es el primero en orar y buscar la presencia de Dios, la bendición se aumenta en su casa. El hombre tiene una autoridad que la mujer no tiene, y ésta es la autoridad de la bendición sacerdotal que se desata en la familia.

- **Ser los primeros en ofrendar.** Cuando esto ocurre, las ventanas de los cielos se abren en las finanzas de un hogar.

Cada hombre, jefe de familia, debe empezar hoy a hacer un compromiso para orar siempre.

2. La Disciplina

¿Qué es disciplina?

Es someter nuestra carne a servidumbre para lograr una meta.

La disciplina no es una meta, sino un medio para llegar a ella. En este caso, la meta es orar continuamente y con perseverancia. Usted no puede regocijarse en su disciplina, sino en su relación con Dios. La disciplina es el medio que nos ayuda al comienzo, para llegar a tener una vida de oración constante, y además, empezar una relación con Dios. Si ponemos la disciplina primero, eso nos ayudará a desarrollar autocontrol.

¿Cuál fue la disciplina de Pablo?

«*[27]...sino que golpeo mi cuerpo y lo pongo en servidumbre, no sea que, habiendo sido heraldo para otros, yo mismo venga a ser eliminado*». 1 Corintios 9.27

Recordemos que la carne no quiere orar; es débil, no siente orar, pero tenemos que hacer un compromiso y tomar una decisión ahora mismo de orar todos los días. Recuerde que la disciplina nos ayuda a someter nuestra carne a la voluntad de Dios. ¡Someta su carne!

3. La Perseverancia

Es la palabra griega *"proskarteresis"*, que significa insistir, ser fuerte hacia, perseverar, permanecer, quedarse en un lugar en vez de abandonarlo, consistencia, ser constante con una persona o cosa.

«*14Todos éstos perseveraban unánimes en oración y ruego, con las mujeres, y con María la madre de Jesús, y con sus hermanos*». Hechos 1.14

«*12gozosos en la esperanza, sufridos en la tribulación, constantes en la oración*». Romanos 12.12

«*18Orad en todo tiempo con toda oración y súplica en el Espíritu, y velad en ello con toda perseverancia y súplica por todos los santos*». Efesios 6.18

Existen tres grandes enemigos del creyente, los cuales son:

El orgullo. Es el pecado que da origen a todos los pecados. Fue a causa de este pecado que Lucifer fue expulsado del cielo.

El temor. Es un espíritu que te paraliza y nunca te deja triunfar en la vida (se le conoce también como temor al fracaso). Hoy día, hay miles de creyentes paralizados por el miedo que necesitan ser libres.

La falta de perseverancia. Mientras el orgullo da origen a cualquier pecado, el temor amarra y paraliza, y la falta de perseverancia, inmoviliza y no deja continuar. Éste es uno de los grandes enemigos del creyente. Usted encontrará personas que empiezan proyectos y no los terminan. También, empiezan a trabajar en ministerios y los abandonan, empiezan a cambiar y paran de hacerlo, empiezan a estudiar y lo dejan, empiezan a orar y no continúan; desmayan por la falta de perseverancia. Hay un montón de proyectos, metas y propósitos no terminados como resultado de la falta de perseverancia. La inconsistencia es un gran mal.

La Palabra nos enseña que debemos perseverar en la oración, en la doctrina, en la salvación, en la gracia, en cumplir la Palabra y en hacer el bien.

Con frecuencia, nos fatigamos y desmayamos en la oración. Oramos por un tiempo, pero después dejamos de hacerlo, y como resultado, nuestra vida espiritual se seca.

¿Qué dijo Jesús acerca de la perseverancia o de la consistencia?

«¹También les refirió Jesús una parábola sobre la necesidad de orar siempre y no desmayar...» Lucas 18.1

En este verso, Jesús resalta dos puntos importantes:

1. **La Oración es una necesidad.** ¿Por qué? ...porque necesitamos tener comunión con Dios, pues ése es nuestro llamado. Dios quiere establecer su voluntad aquí en la tierra. Él quiere cambiar la voluntad de los hombres, y desea tener el derecho legal para trabajar en sus corazones. Recordemos, además, que necesitamos orar para no caer en tentación. Jesús dice que la oración es una necesidad.

2. **El Orar siempre y no desmayar.** La palabra desmayar significa "fallar en el corazón", perder el ánimo, no querer seguir. Jesús dice: la oración no solamente es una necesidad, sino que debemos practicarla siempre, siendo perseverantes en todo momento. Debemos ponerle mucha atención a este punto porque es aquí donde muchos caen, flaquean y no continúan.

¿Qué más habló Jesús acerca de perseverar en la oración?

«⁷Pedid, y se os dará; buscad, y hallaréis; llamad, y se os abrirá...» Mateo 7.7

La palabra **pedid** en el griego es *"aiteo"*, que significa ruego, petición, súplica. La palabra denota pedir con insistencia. Así que, Jesús nos está diciendo que debemos pedir con insistencia, que no nos demos por vencidos, que no desmayemos cuando no vemos respuesta y que sigamos adelante. Luego, Jesús entra en otra dimensión de oración, la cual llama buscad.

La palabra **buscad** implica buscar a Dios con intensidad. Esto ya no es petición ni ruego, sino una búsqueda con diligencia; es buscar algo hasta encontrarlo. También, esta palabra implica perseverancia, pero con mayor intensidad. El último nivel de la oración es llamad.

La palabra **llamad** se traduce, también, como tocad y se os abrirá. Hay otra traducción que dice: toca la puerta hasta que se caiga. Llamad o tocad implica clamor e intensa búsqueda "hasta" que haya rompimiento. Esto es una insistencia desvergonzada, que se eleva hasta los límites. Como puede observar, Jesús dice: *pide* y sigue **pidiendo**, pero si no ves resultados allí, *busca* intensamente hasta encontrarlo. Si aún no ocurre nada, *llama y toca* a la puerta "hasta" que se caiga. Antes de eso, no puede parar de orar. Cuando entramos en la última parte, ya es un clamor y un gemir, donde la oración nos lleva a dar a luz o a parir algo en el espíritu. Debemos orar hasta que se logre un "hasta" (un rompimiento). Veamos lo que dice Pablo en cuanto a esto:

«*¹⁹Hijitos míos, por quienes vuelvo a sufrir dolores de parto, hasta que Cristo sea formado en vosotros...*» *Gálatas 4.19*

No podemos soltar esos nuevos creyentes "hasta" que haya un cambio de carácter en ellos.

¿Qué significa la palabra "hasta"?

Es una duración de tiempo o espacio, ya sea largo o corto. Algunas veces, tenemos que orar unos "hasta" largos, y tenemos que estar luchando por mucho tiempo hasta que Dios complete la obra. Como lo fue el caso de Elías, que oró siete veces. La palabra "hasta" en el griego significa pegarse a un propósito y no darse por vencido. Cada uno de nosotros debe pegarse a un propósito por el cual orar y no soltarlo hasta ver la victoria.

Veamos otros ejemplos de consistencia y perseverancia que han dado resultados asombrosos.

- Thomas Edison experimentó 18,000 veces antes de llevar a cabo su invento.

- Albert Einstein intentó dar una conclusión por 99 veces, pero obtuvo la correcta en la número 100, cuando inventó la teoría de la relatividad.

- Abraham Lincoln trató siete veces antes de ser presidente, y cuando llegó a serlo, fue el mejor presidente que ha tenido esta nación.

- A los que tomaron a Jericó, les tocó dar siete vueltas para tener la victoria y para que los muros cayeran. No fue sino hasta la séptima vuelta que los muros cayeron.

- Naamán tuvo que zambullirse siete veces en el Río Jordán para que fuera sano de su lepra, porque él no se sanó en la sexta zambullida, sino "hasta" la séptima, donde obtuvo su milagro.

La perseverancia y la consistencia implica no darse por vencido. También, implica rehusar a estar desanimado, y a darse por vencido antes de tiempo; es permanecer en su lugar a pesar de la oposición.

- Éste es el caso de una mujer que oró por 27 años para que su esposo fuera salvo. Un día, al esposo le dio un ataque del corazón y murió, pero ella dijo: "él no se puede morir, yo he orado por 27 años para que él sea salvo y todavía no lo es". Lo encerró en su cuarto y empezó a orar para que Dios lo resucitara. Empezó a orar y pasó 1 hora, 2 horas, 6 horas, 8 horas, 10 horas, y a las 14 horas, el hombre volvió a la vida. Recibió a Cristo, vino a ser diácono de la iglesia y vivió diez años más. Fue un "hasta" duro, pero vio la gloria de Dios manifestada en su vida, porque la mujer fue perseverante.

Veamos algunos ejemplos en la vida de Jesús de cómo exalta la consistencia en la perseverancia y en la insistencia.

Un amigo que llega a media noche

«⁵Les dijo también: —¿Quién de vosotros que tenga un amigo, va a él a medianoche y le dice: Amigo, préstame tres panes, ⁶porque un amigo mío ha venido a mí de viaje y no tengo qué ofrecerle; ⁷y aquel, respondiendo desde adentro, le dice: No me molestes; la puerta ya está cerrada y mis niños están conmigo en cama. No puedo levantarme y dártelos. ⁸Os digo que, si no se levanta a dárselos por ser su amigo, al menos por su importunidad se levantará y le dará todo lo que necesite. ⁹Por eso os digo: Pedid, y se os dará; buscad, y hallaréis; llamad, y se os abrirá, ¹⁰porque todo aquel que pide, recibe; y el que busca, halla; y al que llama, se le abrirá. ¹¹¿Qué padre de vosotros, si su hijo le pide pan, le dará una *piedra? ¿O si le pide pescado, en lugar de pescado le dará una serpiente? ¹²¿O si le pide un huevo, le dará un escorpión? ¹³Pues si vosotros, siendo malos, sabéis dar buenas dádivas a vuestros hijos, ¿cuánto más vuestro Padre celestial dará el Espíritu Santo a los que se lo pidan?». Lucas 11.5-13*

Vamos a resaltar algunas observaciones de este pasaje:

En Lucas 11.8, nos dice: **"sin embargo, por su importunidad se levantará y le dará todo lo que necesite"**. La palabra importunidad significa persistencia e insistencia desvergonzada, reclamar su petición hasta los límites, no tener vergüenza. ¿Qué nos quiere comunicar Jesús? Que la persistencia en la oración es clave para obtener la respuesta. No podemos darnos por vencidos antes de tiempo. Tenemos que seguir tocando la puerta, aunque las circunstancias sean opuestas. Siga orando, lleve su petición hasta los límites, hasta que vea la victoria. Usted debe perder la vergüenza y seguir pidiendo "hasta" que venga la victoria en su hogar, en su salud, entre otros.

La parábola de la viuda

«¹También les refirió Jesús una parábola sobre la necesidad de orar siempre y no desmayar, ²diciendo: «Había en una ciudad un juez que ni temía a Dios ni respetaba a hombre. ³Había también en aquella ciudad una viuda, la cual venía a él diciendo: "Hazme justicia de mi adversario". ⁴Él no quiso por algún tiempo; pero después de esto dijo dentro de sí: "Aunque ni temo a Dios ni tengo respeto a hombre, ⁵sin embargo, porque esta viuda me es molesta, le haré justicia, no sea que viniendo de continuo me agote la paciencia". ⁶Y dijo el Señor: Oíd lo que dijo el juez injusto. ⁷¿Y acaso Dios no hará justicia a sus escogidos, que claman a Él día y noche? ¿Se tardará en responderles? ⁸Os digo que pronto les hará

justicia. Pero cuando venga el Hijo del hombre, ¿hallará fe en la tierra?». Lucas 18.1-8

Vamos a ver cuidadosamente esta narración del Señor y algunas cosas que resalta.

En Lucas 18.2, dice: ***"había en una ciudad un juez, que ni temía a Dios, ni respetaba a hombre".*** Los jueces de ese tiempo, de los cuales habla Jesús, eran judíos que trabajaban para el gobierno romano. Sus características eran: jueces corruptos, traidores, escogidos por los romanos y recibían dinero debajo de la mesa.

En Lucas 18.3, dice: ***"había también en aquella ciudad una viuda".*** Las viudas en ese tiempo no tenían ninguna cobertura de un hombre. Muchas personas las abusaban y tomaban ventaja de que estaban solas, sin amigos, sin protección y sin un abogado que las defendiera; además, eran pobres y las posibilidades de ganar un caso delante de un juez eran casi nulas. Esta viuda tenía todas estas características, pero tenía algo que Jesús dijo, y fue lo que le dio la victoria.

En Lucas 18.5, dice: ***"sin embargo, porque esta viuda me es molesta, le haré justicia, no sea que viniendo de continuo, me agote la paciencia".***

La viuda iba continuamente donde el juez, pidiéndole su justicia. Esta expresión: "hazme justicia" implica proteger, defender y hacer justicia. Esta mujer fue tan persistente que el juez corrupto dijo: "si no la defiendo, si no la protejo, si no le doy lo que es de ella, me va a causar una molestia tan grande que me va a desgastar; su insistencia me va a volver loco. Aunque no temo a Dios ni al hombre, su persistencia, sus venidas de continuo a mi escritorio me han obligado a que tenga que defenderla, protegerla y darle lo que le pertenece". Más adelante, Jesús dijo: *"Oíd lo que dijo el juez injusto".* En otras palabras, el Señor nos dice que su persistencia fue lo que le dio la victoria. Ella tocó la puerta una vez, dos veces, tres veces, y no se abría, pero finalmente, consiguió lo que buscaba. Algunas veces, cuando tocamos la puerta una vez y no se abre, nos damos por vencidos; pero yo les animo a que sigan orando, persistiendo y Dios les dará la victoria. Si alguna puerta se le ha cerrado en el trabajo, en el negocio, en el hogar o en la familia, ¡siga tocando la puerta!

Ahora, el Señor hace una aclaración cuando dice:

«*7¿Y acaso Dios no hará justicia a sus escogidos, que claman a Él día y noche? ¿Se tardará en responderles?*» *Lucas 18.7*

También nos dice:

«*8...os digo que pronto les hará justicia*». *Lucas 18.8*

Jesús está diciendo, si el juez injusto, sin temor de Dios, corrupto, pecador y vendido al dinero, le hizo justicia a una mujer sin ningún apoyo financiero y sin ningún abogado, sólo porque fue persistente, ¡cuánto más nuestro Padre que es el Juez Justo del universo! ¡Cuánto más nuestro Padre, de quien somos hijos, nos responderá si perseveramos y clamamos a Él de día y de noche; pronto nos protegerá, pronto nos defenderá, pronto nos dará lo que es nuestro! Sí, tenemos un abogado que nos defiende y nos protege en la corte celestial. Si usted ha estado orando por la salvación de su familia, por su sanidad, por su matrimonio, y no ha visto resultados, siga tocando a la puerta que Dios le dará el rompimiento. ¡Persevere y no se dé por vencido!

¿Cómo saber cuándo hemos logrado un "hasta" o un rompimiento?

Una de las cosas que me dicen algunas personas es: "Pastor, me cansé de orar". También me preguntan: "¿Cómo yo sé si es el momento de parar de orar por lo mismo o seguir orando?" Algunas veces, cuando hemos estado orando por mucho tiempo, hay un momento donde la carga se hace más pesada y las cosas se vuelven peor. Ésa es una señal de que el milagro está cerca. Hay algunas señales que recibimos cuando la oración se intensifica, y finalmente, hay un rompimiento o alcanzamos un "hasta", donde nos damos cuenta de que no tenemos que seguir orando y que la victoria es nuestra. Lo único que tenemos que hacer es esperar la manifestación física.

Veamos algunas señales que se manifiestan cuando hemos llegado a un "hasta" o cuando se ha logrado un rompimiento.

1. **Un cántico en el espíritu.** Cuando está orando por algo específico, y de repente, viene un cántico que salió de su corazón.

2. **Una risa en el espíritu.** En algunos, se manifiesta una risa repentina. Empiezas a reírte y no sabes por qué. Eso es una señal de que Dios llevó a cabo la obra, y solamente nos queda esperar.

3. **Una paz interior.** Cuando estás orando por algo, y al terminar la oración, recibes una gran paz. Eso significa que se logró un "hasta", un rompimiento.

4. **Un testimonio interior.** Algunas veces, sentimos que Dios nos habla y nos hace saber que Él está en control, que solamente nos resta esperar a que se manifieste físicamente lo que hemos pedido. Después que se logra un rompimiento,

lo único que tenemos que hacer es dar gracias a Dios por la respuesta y por la victoria.

Ejemplo de cómo orar hasta que haya un rompimiento:

Hace muchos años atrás, recibí una carga del Señor para orar por mi familia. Solamente uno de mis hermanos era creyente. Dios me puso a orar por ellos. Empecé a orar por lo mismo durante muchos días. Después, me separé por tres días en ayuno y oración. Empecé a orar intensamente por la salvación de ellos. Oré tan intenso que yo sentía que estaba dando a luz. Empecé a gemir después de tres horas consecutivas de intercesión. De repente, empecé a cantar un cántico nuevo y a reírme. Inmediatamente, escuché la voz de Dios que me dijo: "Tu familia está en mi control, serán salvos". Después de eso, cada uno de mis hermanos empezó a recibir al Señor. Seis meses más tarde, todos habían recibido al Señor; se logró un "hasta", hubo un rompimiento. Me tomó muchos días, muchas horas, pero obtuve la victoria. Mi consejo es que si ha estado orando por algo durante mucho tiempo y no ha visto los resultados, siga orando e intercediendo; no se dé por vencido, que Dios le dará la victoria.

Algunos obstáculos que impiden llegar a un "hasta" son:

- No ver cambios en las personas o cosas, por las cuales estamos orando.

- Cuando los resultados de la oración no van de acuerdo al tiempo invertido.

- Los falsos reportes y los consejos de hermanos con palabras de desánimo; algunos tienen buena intención, sin embargo, nos desaniman.

- Distraerse de lo que se está orando.

Para concluir, podemos decir que si deseamos desarrollar una vida de oración continua y permanente, tenemos que aplicar los siguientes principios: compromiso, disciplina y perseverancia.

¿Cómo debemos empezar?

Se empieza al hacer un compromiso y al tomar una decisión de orar todos los días. No importa lo que suceda a nuestro alrededor, decidamos orar y tener una comunión con Dios. Una decisión que no va acompañada de una disciplina, no funcionará. Debemos empezar a someter nuestra carne y a disciplinarnos en la oración. Hay creyentes que hacen el compromiso de orar, pero como no tienen una disciplina, no perseveran en la oración. Es necesario perseverar con todas las fuerzas, pidiendo la ayuda al Espíritu Santo para que seamos perseverantes.

CAPÍTULO VI

Los obstáculos
de la
oración

Durante los años que he ministrado la palabra de Dios, he visto mucha frustración en el pueblo de Dios. La razón de su frustración es porque sus oraciones no son contestadas; oran y oran y no ven respuesta. El Señor se deleita en contestar las oraciones de su pueblo. La palabra de Dios nos enseña que si pedimos conforme a Su voluntad, Él nos oye. Si nuestras oraciones no están teniendo el resultado que esperamos, entonces tenemos que encontrar la razón de este problema con la ayuda del Espíritu Santo. A continuación, estudiaremos algunos obstáculos que impiden que las oraciones sean contestadas.

1. El no pedir y pedir mal

La palabra de Dios dice:

«*²Pero no tenéis lo que deseáis porque no pedís. ³Pedís, pero no recibís, porque pedís mal, para gastar en vuestros deleites*». Santiago 4.2, 3

Hay personas que piensan que Dios está muy ocupado. Otros piensan que sus peticiones son insignificantes para Dios, y que Él no está interesado en cosas pequeñas. Otros creyentes creen que las cosas que piden son muy grandes y que Dios no las va a contestar. Por esta razón, yo le exhorto a que pida a Dios, pues Él quiere conceder todas las peticiones de su corazón. Si no las recibe, es porque no las pide; ya sea algo grande o pequeño, Dios quiere dárselo. La palabra de Dios dice: *«pedís y no recibís, porque pedís mal, para gastar en vuestros deleites»*.

Hay otros casos que son el extremo opuesto. Algunos creyentes piden, pero la intención de su corazón es el deleite de su carne. Sus deseos e intenciones son egoístas; piden para ellos y no tiene en cuenta el Reino de Dios ni el prójimo, y lo más grave es que sus peticiones son conducidas por sus deseos carnales, tales como: celos, vanagloria, competencia, envidia, entre otros. Las intenciones y los motivos son equivocados. ¿Cuál es la solución? No deje de pedir. Pida al Señor lo que necesite, pero hágalo con la intención correcta. Pida primero para el Reino y luego, para usted y su familia. Si así lo hace, ya tiene resuelto uno de los obstáculos que impide que sus oraciones sean contestadas.

2. El maltrato al cónyuge

«¹Asimismo vosotras, mujeres, estad sujetas a vuestros maridos, para que también los que no creen a la palabra sean ganados sin palabra por la conducta de sus esposas...» 1 Pedro 3.1

«⁷Vosotros, maridos, igualmente, vivid con ellas sabiamente, dando honor a la mujer como a vaso más frágil y como a coherederas de la gracia de la vida, para que vuestras oraciones no tengan estorbo». 1 Pedro 3.7

El apóstol Pedro nos enseña dos roles: el del hombre y el de la mujer. A la mujer le dice que debe someterse a su marido y que si no lo hace, es una forma de rebelión contra Dios. Al hombre le dice que trate a la mujer como un vaso frágil, porque si la trata bruscamente y no le da el amor que necesita y la maltrata física, verbal y emocionalmente, es una forma de desobediencia a la palabra de Dios. Dice, también, que si existe este comportamiento de parte de la mujer o del hombre, sus oraciones serán de estorbo y también cortadas. El maltrato hacia el cónyuge es un obstáculo a sus oraciones. Cambie su actitud hacia su cónyuge y obtendrá resultados positivos. ¿Desea que sus oraciones sean contestadas? Entonces, usted esposo, empiece a tratar bien a su esposa, y usted esposa, empiece a someterse a su esposo.

3. La duda o la incredulidad

La palabra **duda** en el griego es *"aporeo"*, y significa, literalmente, estar sin camino, estar sin recursos, en apuros, perplejo, en duda, confuso, en desesperanza, ansioso y vacilante acerca del camino que debe tomar. Una de las cosas que nos hace saber Dios, es que la duda mata toda esperanza de recibir algo de Él. Dudar es algo terrible; nos hace vacilar y nos confunde. La confusión es el resultado de una persona que duda. Analicemos algunas palabras que describen la palabra *"aporeo"* o duda:

- **Estar sin camino.** No tener seguridad hacia dónde dirigirse o qué camino tomar, ya que en la mente tiene dos o más alternativas.

- **Estar sin recursos.** Una persona que duda se siente que no tiene recursos para seguir.

- **Perplejo.** Una persona que está en un estado de "shock" no sabe qué hacer.

- **Confuso**. Tiene muchos pensamientos en su mente y no sabe qué decisión tomar. No tiene una decisión clara.

- **Vacilante**. Ésta es la peor parte de la duda. El milagro llega, pero por ser tan vacilante, no lo recibe porque está esperando otra cosa.

¿Qué debemos aprender acerca de la duda?

No podemos orar a Dios si estamos dudando de su existencia. Si estamos ansiosos y confusos acerca de lo que estamos pidiendo, no podremos orar con confianza. Si estamos perplejos, no podremos orar con poder. Si vacilamos acerca de su voluntad, no podremos tener resultados en nuestras oraciones. Tenemos que cambiar nuestra actitud, y comenzar a creerle a Dios y a su palabra sin dudar.

«28Entonces le respondió Pedro, y dijo:—Señor, si eres tú, manda que yo vaya a ti sobre las aguas. 29Y Él dijo: —Ven. Y descendiendo Pedro de la barca, andaba sobre las aguas para ir a Jesús. 30Pero al ver el fuerte viento, tuvo miedo y comenzó a hundirse. Entonces gritó: —¡Señor, sálvame! 31Al momento Jesús, extendiendo la mano, lo sostuvo y le dijo: —¡Hombre de poca fe! ¿Por qué dudaste?»
Mateo 14.28-31

En estos versículos, podemos ver lo que le sucedió a Pedro, que por dudar de la palabra de Jesús, se hundió. Así ocurre hoy día. Vemos a muchos creyentes hundidos en crisis, porque dudan en su corazón. Si usted duda, ninguna de sus oraciones serán contestadas. ¿Cuándo es que la duda viene a nuestro corazón? Cuando quitamos los ojos en Jesús y miramos las circuns-tancias que nos rodean. Pedro dijo: **"pero al ver el fuerte viento tuve miedo"**. Al dudar, el miedo entra y la fe sale. Cuando somos víctimas del miedo nos hundimos con nuestros propios problemas. La duda no es otra cosa que poner fe en lo que el enemigo puede hacer en contra de nosotros.

Algunas veces, la duda viene en forma de dardo. El enemigo le envía un pensamiento contrario a lo que está creyendo, pues él desea dividir su mente para que no se enfoque en un sólo pensamiento. Entonces, le pone a dudar entre el pensamiento de la palabra de Dios y el pensamiento malo, mientras que Dios quiere que se enfoque y piense en Él y en su Palabra.

¿Qué hay que hacer cuando estos pensamientos de duda vienen a nuestra mente? Llevémoslos cautivos a la obediencia de Cristo. No debemos tener nuestra mente dividida ni podemos estar dudando entre sanidad y enfermedad, sino creer que estamos sanos. No entretenga los pensamientos de enfermedad en su mente, sino repréndalos y échelos fuera.

«[1]...*porque las armas de nuestra milicia no son carnales, sino poderosas en Dios para la destrucción de fortalezas...*» *2 Corintios 10.4*

¿Cuál es la solución a la duda?

Oiga y medite la palabra de Dios. Medite continuamente en las promesas bíblicas, en las cuales ha basado su petición. Sature su ambiente oyendo continuamente la palabra de Dios, ya sea en su casa, en su carro y en todo lugar. La solución a la incredulidad es la enseñanza de la palabra de Dios. Si no duda más, sus oraciones serán contestadas.

4. La falta de perdón

Éste es uno de los obstáculos más grandes de la oración. Hay un sinnúmero de creyentes frustrados y desanimados que están viviendo en miseria espiritual, no levantan cabeza y, como resultado, ninguna de sus peticiones son contestadas. La razón número uno de esto es la falta de perdón. Hay diferentes nombres dados a la falta de perdón, tales como: resentimiento, estar molesto, enojado contra alguien, tener algo contra alguno, sentirse herido, entre otros.

«²⁵Y cuando estéis orando, perdonad, si tenéis algo contra alguien, para que también vuestro Padre que está en los cielos os perdone a vosotros vuestras ofensas...»
Marcos 11.25

¿Qué habló Jesús acerca de estar enojado o molesto contra su hermano?

«²²Pero yo os digo que cualquiera que se enoje contra su hermano, será culpable de juicio; y cualquiera que diga: "Necio" a su hermano, será culpable ante el Concilio; y cualquiera que le diga: "Fatuo", quedará expuesto al infierno de fuego». *Mateo 5.22*

La biblia amplificada dice: "pero yo digo que cualquiera que continuamente esté enojado (ofendido, molesto, herido, resentido) contra su hermano, o abrigue malicia, (esto es una pequeña o grande enemistad en contra de Él) será responsable de juicio". La falta de perdón, la ofensa, la molestia, la herida y el resentimiento son la guillotina de nuestras oraciones. Dios te pone contra la pared y te dice: si tú no dejas ir ese dolor, esa malicia, esa ofensa, esa herida o ese resentimiento de tu corazón, yo no te perdono, y tampoco oigo tus oraciones; los cielos son de bronce para ti". La falta de perdón corta nuestra comunión con Dios. Él no puede oír nuestras oraciones si tenemos enojo contra alguien.

¿Por qué es que Dios no perdona nuestras faltas cuando nosotros no perdonamos a otros? Veamos lo que Jesús dice:

«*²¹Entonces se le acercó Pedro y le dijo:—Señor, ¿cuántas veces perdonaré a mi hermano que peque contra mí? ¿Hasta siete? ²²Jesús le dijo: —No te digo hasta siete, sino aun hasta setenta veces siete. ²³Por lo cual el reino de los cielos es semejante a un rey que quiso hacer cuentas con sus siervos. ²⁴Cuando comenzó a hacer cuentas, le fue presentado uno que le debía **diez mil talentos**. ²⁵A éste, como no pudo pagar, ordenó su señor venderlo, junto con su mujer e hijos y todo lo que tenía, para que se le pagara la deuda. ²⁶Entonces aquel siervo, postrado, le suplicaba diciendo: "Señor, ten paciencia conmigo y yo te lo pagaré todo". ²⁷El señor de aquel siervo, movido a misericordia, lo soltó y le perdonó la deuda. ²⁸Pero saliendo aquel siervo, halló a uno de sus consiervos que le debía **cien denarios;** y agarrándolo, lo ahogaba, diciendo: "Págame lo que me debes". ²⁹Entonces su consiervo, postrándose a sus pies, le rogaba diciendo: "Ten paciencia conmigo y yo te lo pagaré todo". ³⁰Pero él no quiso, sino que fue y lo echó en la cárcel hasta que pagara la deuda. ³¹Viendo sus consiervos lo que pasaba, se entristecieron mucho, y fueron y refirieron a su señor todo lo que había pasado. ³²Entonces, llamándolo su señor, le dijo: "Siervo malvado, toda aquella deuda te perdoné porque me rogaste. ³³¿No debías tú también tener misericordia de tu consiervo, como yo tuve misericordia de ti?". ³⁴Entonces su señor,* *enojado, lo entregó a los verdugos hasta que pagara todo lo que le debía. [35]Así también mi Padre celestial hará con vosotros, si no perdonáis de todo corazón cada uno a su hermano sus ofensas». Mateo 18.21-35*

¡Hay tantas cosas importantes en esta narración de Jesús...! Para ese tiempo, un talento era una unidad de medir que se utilizaba para medir oro. Un talento era equivalente a 75 libras aproximadamente, y 10,000 talentos eran iguales a 750,000 libras que son lo mismo que 375 toneladas. Hoy día, el costo de una onza de oro es de 375.00 dólares aproximadamente. En el mercado de hoy, un talento de oro es igual a 450,000.00 dólares. Entonces, 10,000 talentos de oro son iguales a 4.5 millones de dólares. El siervo le debía a su amo 4.5 billones de dólares. Jesucristo enfatiza que su siervo tiene una deuda que nunca podrá ser pagada. Eso mismo sucedió con nosotros. Jesús pagó por nosotros una deuda que nunca hubiésemos podido pagar. Jesús canceló el acta de decretos que había en contra nuestra.

«[13]Y a vosotros, estando muertos en pecados y en la incircuncisión de vuestra carne, os dio vida juntamente con Él, perdonándoos todos los pecados. [14]Él anuló el acta de los decretos que había contra nosotros, que nos era contraria, y la quitó de en medio clavándola en la cruz...».
Colosenses 2.13, 14

Por otro lado, ¿qué era un denario? Un denario era, aproximadamente, el salario diario de un obrero de hoy día. Esto sería 52 dólares aproximadamente. Así que, 100 denarios son iguales a 5,200 dólares hoy día.

Hay una gran diferencia entre 4.5 millones de dólares que el siervo debía a su amo y 5,200 dólares que el consiervo le debía al siervo. Así era la deuda de nosotros con Dios:

imposible de pagar. Cargábamos con miles de pecados, pero Dios nos los perdonó. A lo mejor, alguien lo ha tratado mal, pero eso no se compara con lo que hemos pecado contra Dios. Miles de pecados contra unas cuantas ofensas, no son nada. La persona que no puede perdonar se le ha olvidado cuántos pecados Jesús le perdonó. Según la edad que teníamos cuando comenzamos a pecar hasta que le conocimos, así era el número de pecados cometimos; algunos fueron 10,000, otros 15,000 ó 40,000. ¡Cómo no vamos a perdonar a aquellos que nos han ofendido veinte o treinta veces!

¿Cuál es el resultado de no perdonar?

Cuando en **Mateo 18.34, 35** se nos habla de que seremos entregados a los **verdugos,** se está refiriendo a los demonios y a las consecuencias, que son: miseria, pobreza, enfermedad y depresión. Esto sucede porque nosotros mismos le hemos dado al enemigo el derecho legal para destruirnos, y ésa es otra razón por la cual nuestras oraciones no son contestadas. El ciclo de no perdonar continúa en el enojo y cuando el resentimiento aumenta, se convierte en odio. Veamos lo que dice la Palabra al respecto.

«*[8]Y, sin embargo, os escribo un mandamiento nuevo, que es verdadero en Él y en vosotros, porque las tinieblas van pasando y la luz verdadera ya alumbra. [9]El que dice que está en la luz y odia a su hermano, está todavía en tinieblas. [10]El que ama a su hermano, permanece en la luz y en Él no hay tropiezo. [11]Pero el que odia a su hermano está en tinieblas y anda en tinieblas, y no sabe a dónde va, porque las tinieblas le han cegado los ojos*».
1 Juan 2.8-11

«*[14]Nosotros sabemos que hemos pasado de muerte a vida, porque amamos a los hermanos. El que no ama a su hermano permanece en muerte. [15]Todo aquel que odia a su hermano es homicida y sabéis que ningún homicida tiene vida eterna permanente en Él».* 1 Juan 3.14,15

¿Qué hacemos cuando nos ofenden o nos hieren?

«*[26]Airaos, pero no pequéis; no se ponga el sol sobre vues tro enojo...»* Efesios 4.26

En la Biblia amplificada, por ejemplo, podemos leer lo siguiente:

«Cuando te enojes no pequéis, ni dejes que tu ira (tu ofensa, tu resentimiento, tu herida, tu molestia) dure hasta que el sol se oculte».

No deje ofensas pendientes por resolver, eso se convertirá en una amargura y después en odio. Si usted aborrece a alguien, camina en tinieblas y estará en miseria. Todas sus oraciones serán estorbadas. Hay muchas bendiciones de Dios que están en espera por nuestra culpa. La condición de nuestro corazón, o sea, lo que sentimos acerca de las ofensas no resueltas, es lo que detiene las bendiciones de Dios, y sobre todas las cosas, sus oraciones no serán contestadas.

Para concluir, podemos decir que algunos de los obstáculos más grandes de la oración son: el no pedir o pedir mal, el maltratar a nuestros cónyuges, el dar lugar a la duda y el tener falta de perdón. Tratemos de no caer en ninguna de estas faltas y nuestras oraciones serán contestadas.

CAPÍTULO VII

¿Cómo orar durante una hora, utilizando los diferentes tipos de oración?

U na de las quejas de muchos creyentes es: "yo no puedo orar por mucho tiempo, se me termina el repertorio. Le pido a Dios lo que necesito, y después, no sé qué más decirle". Con la ayuda del Señor, les voy a enseñar a orar durante una hora, y esto se logra realizando diferentes tipos de oración con un propósito específico. En Efesios 6.18, dice: *"orando en todo tiempo con toda oración"*.

Seguidamente, vamos a definir y a estudiar el propósito de cada una de estas oraciones y cómo podemos orar una hora, utilizando doce tipos de oración.

I. La oración de alabanza y adoración

Es el tipo de oración donde alabamos a Dios por lo que Él es y por sus obras. Cada tiempo de oración debe ser iniciado con alabanza y adoración a Dios. Tan pronto nuestra boca se abra, debe ser para exaltar la grandeza de nuestro Dios. Hay algunos creyentes que no tienen idea de lo que es la alabanza, pero hoy trataré de enseñarles un poco acerca de lo que significa la misma.

¿Qué es la alabanza?

Es honrar, glorificar, admirar y celebrar a Dios por lo que Él es y por todas sus obras. La alabanza es una celebración reluciente, radiante, brillante, resplandeciente y viva, que cuando usted empieza a hablar de Dios, logra extasiarse más y más de Él. Entre más habla de Dios, más se alegra. Esto lo lleva a jactarse, a hacer alarde y a vanagloriarse de su Dios. Como resultado, lo vuelve clamoroso, vociferante y ruidoso para expresar lo que es Él, a tal punto que parece como alguien que ha perdido la mente por un instante. Como alguien que está fuera de sí, como alguien que ha bebido mucho y que ha perdido la cabeza; como uno que delira, que está loco, o como alguien que parece ser "el tonto del pueblo".

Veamos el ejemplo de David:

«*14David, vestido con un efod de lino, danzaba con todas sus fuerzas delante de Jehová. 15Así, con júbilo y sonidos de trompeta, David y toda la casa de Israel conducían el Arca de Jehová. 16Cuando el Arca de Jehová llegaba a la ciudad de David, aconteció que Mical, hija de Saúl, miró desde una ventana, y al ver al rey David que saltaba y danzaba delante de Jehová, lo despreció en su corazón. 20Volvió luego David para bendecir su casa; y salió a recibirlo Mical, y le dijo: —¡Cuán honrado ha quedado hoy el rey de Israel, descubriéndose hoy delante de las criadas de sus siervos, como se descubre sin decoro un cualquiera! 21Entonces David respondió a Mical: —Fue delante de Jehová, quien me eligió en preferencia a tu padre y a toda tu casa, para constituirme como príncipe sobre el pueblo de Jehová, sobre Israel. Por tanto, danzaré delante de Jehová. 22Y me humillaré aún más que esta vez; me rebajaré a tus ojos, pero seré honrado delante de las criadas de quienes has hablado».*
2 Samuel 6.14-16, 20-22

En el diccionario Webster, la palabra **alabanza** significa dar a Dios la gloria y la honra, mediante la cual le expresamos admiración. La alabanza cambia el enfoque en nuestra vida para enfocarnos en Dios. La alabanza es una decisión consciente, un acto de nuestra propia voluntad.

«[15]Así que, ofrezcamos siempre a Dios, por medio de él, sacrificio de alabanza, es decir, fruto de labios que confiesan su nombre...» Hebreos 13.15

Un sacrificio de alabanza es la alabanza que obedientemente le damos a Dios, a pesar de cómo nos sintamos. La palabra sacrificio en el idioma griego es *"thuo"*, que significa asesinar, matar con un propósito. Cuando ofrecemos realmente sacrificios de alabanza a Dios, damos muerte al orgullo, al egoísmo, a la auto justicia, a la pereza, al cansancio y a los impulsos de la carne. ¿Qué nos sucede cuando levantamos las manos por primera vez? Nos da vergüenza. ¿Qué sucede cuando estamos pasando por crisis? No queremos alabar. Entonces, ¿qué debemos hacer cuando no tenemos el deseo de alabar ni adorar a Dios? Debemos ofrecer sacrificio de alabanza y matar todo aquello que nos impide adorarle.

¿Cuándo debemos alabar a Dios?

Dios es digno de nuestra alabanza y adoración en todo tiempo. No importa el día que sea, le alabaremos desde que se levanta el sol hasta que se pone. Cuando comencemos nuestra oración, debemos alabarle por sus hechos y por sus obras.

«[1]Bendeciré a Jehová en todo tiempo; su alabanza estará de continuo en mi boca». Salmos 34.1

En tiempos difíciles, en tiempos buenos, cuando no hay trabajo, cuando la cuenta del banco está vacía, cuando estamos sanos, en público y en privado, la alabanza es la manera de hacerle un lugar a Dios en nuestras vidas.

Algunos aspectos de la alabanza:

Usted no necesita una razón especial para alabarlo. Cada momento, cada instante es un momento para alabarle. La alabanza, al principio del día, nos da la fortaleza para vencer las cosas que vengan en el resto del día. La queja destruye la atmósfera creada por la alabanza. ¿Cómo debemos alabar y adorar a Dios? Haga su propio concierto, y no solamente asista a uno.

Algunas formas bíblicas de cómo alabar a Dios son:

Cantar - Ésta es una de las formas más comunes de alabanza.

«*⁴¡Cantad a Jehová, vosotros sus santos, y celebrad la memoria de su santidad». Salmos 30.4*

«*¹⁹ ...hablando entre vosotros con salmos, con himnos y cánticos espirituales, cantando y alabando al Señor en vuestros corazones..» Efesios 5.19*

Gritar - Esta palabra en el hebreo es "*ranan*", que significa gritar y cantar fuerte. Gritar significa como una ráfaga de aire que sale de la boca, que si es posible, rompería las rocas en pedazos. También, es romper los oídos con un sonido fuerte. Un ejemplo de cómo podemos alabar a Dios es gritando: ¡Tú eres grande!!

La risa - Es una forma de alabanza muy rara hoy día. Cuando le sucede algo similar, las personas que están a su alrededor le ven raro, pero es una de las maneras de alabar a Dios.

«*²¹Él llenará aún tu boca de risas, y tus labios de júbilo». Job 8.21*

Acción de gracias - Ésta es otra forma de alabarlo, dando gracias.

«*30Tenían además que asistir todos los días por la mañana y por la tarde para dar gracias y tributar alabanzas a Jehová*».
1 Crónicas 23.30

Postrarse - Es arrodillarse, humillándose en señal de respeto, veneración.

Arrodillarse - Es una forma de humildad y honor a nuestro Dios, donde reconocemos que Él es Dios y nosotros somos su pueblo.   En algunas iglesias, ya no existe el arrodillarse, porque eso le causa vergüenza a las personas.

«*6Venid, adoremos y postrémonos; arrodillémonos delante de Jehová, nuestro Hacedor*».   *Salmos 95.6*

Aplaudir - El aplaudir es una forma de mostrar apreciación. Sin embargo, hay muchas iglesias que le prohíben a las personas aplaudir. Aplaudir significa hacer un sonido, pero no de ópera, sino de un aplauso ruidoso o estrepitoso; es hacer un sonido de trueno.   Expresa lo grande que Él es, porque las palabras se vuelven cortas para expresar su grandeza.   En síntesis, aplaudir no es hacer un pequeño sonido como de ópera, sino es hacer un sonido como de un gran estruendo.

«*1¡Pueblos todos, batid las manos! ¡Aclamad a Dios con voz de júbilo!*»   *Salmos 47.1*

Danzar - El danzar es una forma bíblica de alabar a Dios. La danza va acompañada de un mover de nuestro cuerpo para Dios.

«¹Alabad a Dios en su santuario; alabadlo en la magnificencia de su firmamento». Salmos 150.1

En Lucas 10.21, dice: *"regocijo en el espíritu".* La palabra "regocijar" en el griego significa "saltar de gozo". Esta misma palabra en el hebreo quiere decir "dar vueltas en el aire bajo la influencia de una violenta emoción". "Regocijarse" significa remolinear y dar vueltas en el aire. La idea de esta palabra es que usted no está consciente de sí. Cuántas veces el Señor nos impulsa a danzar en el espíritu y dudamos si hacerlo o no, y todo porque sentimos vergüenza.

Levantar las manos - Algunos de nosotros, muy pocas veces, levantamos nuestras manos para alabar a Dios. Dios nos manda a levantar las manos en el santuario.

«⁴Así te bendeciré en mi vida; en tu nombre alzaré mis manos». Salmos 63.4

Hablando y cantando en lenguas - El hablar y cantar en lenguas es una forma de adoración, en donde nuestro espíritu habla con Dios directamente.

«¹⁵¿Qué, pues? Oraré con el espíritu, pero oraré también con el entendimiento; cantaré con el espíritu, pero cantaré también con el entendimiento...» 1 Corintios 14.15

Alabarle con música e instrumento - Ésta es una de las formas más comunes de alabarle, con música y con todo tipo de instrumento.

«¹Alabad a Dios en su santuario; alabadlo en la magnificencia de su firmamento. ²Alabadlo por sus proezas; alabadlo conforme a la muchedumbre de su grandeza.

³Alabadlo a son de bocina; alabadlo con salterio y arpa. ⁴Alabadlo con pandero y danza; alabadlo con cuerdas y flautas. ⁵Alabadlo con címbalos resonantes; alabadlo con címbalos de júbilo. ⁶¡Todo lo que respira alabe a Jehová! ¡Aleluya!» Salmos 150.1-6

¿Por qué debemos alabarle?

- Porque la alabanza atrae a Dios a nuestro ambiente. La alabanza invita a Dios a tomar control del día, haciéndolo más placentero, y porque Dios es digno de la alabanza.

«¹²...decían a gran voz: El Cordero que fue inmolado es digno de tomar el poder, las riquezas, la sabiduría, la fortaleza, la honra, la gloria y el poder, por los siglos de los siglos». Apocalipsis 5.12

Algunos principios acerca de la alabanza y la adoración a Dios son:

- Dios no necesita nuestra alabanza. Si Dios se moviera por nuestra alabanza, entonces, Dios estaría limitado a ella.

- La alabanza no lo cambia a Él.

- La alabanza nos cambia y nos afecta a nosotros.

- La alabanza atrae a Dios a nuestro entorno, de modo que podamos vencer cualquier problema que venga.

- La alabanza cambia las imposibilidades en victorias.

- La alabanza, basada en la fe, le da gracias a Dios por lo que Él hará antes de que lo haga.

- Todo tiempo de oración se debe comenzar atrayendo a Dios a nuestro ambiente, a nuestro lugar, por medio de la alabanza y la adoración. De igual forma, todo tiempo de oración se debe terminar con alabanza y adoración.

- La alabanza es buscar a Dios y la adoración es ser encontrado por Él. La meta de la alabanza es crear una atmósfera para que la presencia de Dios descienda sobre nosotros.

- La alabanza es iniciada por nosotros y la adoración es una respuesta de Dios a nuestra alabanza.

- La alabanza es algo que nosotros hacemos y la adoración es algo que Dios desata.

- La alabanza es nuestro edificio, es una casa para Dios. La adoración es Dios mismo mudándose en la casa.

- La adoración no puede ser generada por nosotros, pues es completamente dependiente de Dios.

- Podemos entrar en adoración a través de la alabanza; queda a opción de Dios el responder a nuestra iniciativa.

Requisitos para estar en su presencia

- **Verdad y pureza** - Dios está buscando verdaderos adoradores. Aquellos que sus palabras y sus acciones van en armonía con su corazón. "El pueblo me honra de labios solamente".

«[3]¿Quién subirá al monte de Jehová? ¿Y quién estará en su lugar santo? [4]El limpio de manos y puro de corazón;

> *el que no ha elevado su alma a cosas vanas ni ha jurado con engaño. ⁵Él recibirá bendición de Jehová y justicia del Dios de salvación. ⁶Tal es la generación de los que lo buscan, de los que buscan tu rostro, Dios de Jacob».*
> *Salmos 24.3-6*

* **Integridad** - Dios es íntegro en pensamiento, palabra y acción. No venga ante su presencia, a menos que limpie su espíritu. La adoración es tener intimidad con Dios y Él no está dispuesto a contaminarse con su espíritu. La adoración es un privilegio de aquellos que le buscan con manos limpias y corazón puro.

> *«²³Pero la hora viene, y ahora es, cuando los verdaderos adoradores adorarán al Padre en espíritu y en verdad, porque también el Padre tales adoradores busca que lo adoren. ²⁴Dios es Espíritu, y los que lo adoran, en espíritu y en verdad es necesario que lo adoren».*
> *Juan 4.23, 24*

> *«⁸Este pueblo de labios me honra, mas su corazón está lejos de mí, ⁹pues en vano me honran, enseñando como doctrinas mandamientos de hombres». Mateo 15.8, 9*

La adoración es el clímax de la alabanza. Busque a Dios hasta que su gracia se derrame con su presencia. La meta final es la manifestación gloriosa de Dios sobre todas las cosas. La alabanza nos conduce a encontrar a Dios y a disfrutar de Él en todo su esplendor.

Cada lugar que el enemigo ha tomado en su vida, tiene que ser desalojado cuando Dios entra.

La presencia de Dios trae:

- Gozo

  He encontrado muchos creyentes que, hace mucho tiempo, perdieron el gozo porque no han estado en la presencia de Dios.

- Paz y descanso

  Descanso significa estar quieto, causar descanso, estar en descanso, tener descanso, dar descanso, hacer descansar. También, significa arreglar su mente para descansar. Cuando Dios está con nosotros, Él es quien está trabajando y nosotros somos libres de ansiedad y preocupación.

- Seguridad y liberación

  Cuando estamos en la presencia de Dios, estamos seguros, fortalecidos y en quietud, porque Él está en control.

  «[20]En lo secreto de tu presencia los esconderás de la conspiración del hombre; los pondrás en tu Tabernáculo a cubierto de lenguas contenciosas». Salmos 31.20

- **Cambia circunstancias y nos da la victoria sobre Satanás.**

  Si queremos que Dios cambie las circunstancias, empezaremos a alabarle y Él se moverá a nuestro favor, y el enemigo será derrotado.

La presencia de Dios es la respuesta a todas nuestras necesidades. La meta final es vivir continuamente en la presencia de Dios.

La alabanza y la adoración es el primer tipo de oración, con la cual debemos empezar nuestro tiempo de oración con Dios. Estamos estudiando los tipos de oración que se pueden realizar en el tiempo devocional para lograr orar durante una hora. Ya vimos la oración de alabanza y adoración; ahora, continuaremos con la oración de petición y súplica.

II. La oración de petición o de súplica

Éste es el tipo de oración que hacemos a Dios para pedir por nuestros propios deseos o necesidades personales, y para pedir por todo aquello que tenga que ver con nosotros mismos y no con otros. Por ejemplo, hay personas que tienen un deseo personal de tener una casa, un carro nuevo, un don espiritual o un amigo. Siempre que ese deseo vaya de acuerdo con la palabra de Dios, Dios responderá.

La oración de petición debe ir acompañada de una acción de gracias. De antemano, usted debe agradecer al Señor por la respuesta. Recuerde que esta oración de petición o de súplica, en otros pasajes se llama oración de fe. Es hecha, específicamente, para pedir por nuestros propios deseos personales, ya sea un trabajo, sanidad para el cuerpo, aumento salarial, un esposo o esposa, para tener hijos, entre otros.

«"Por nada estéis afanosos, sino sean conocidas vuestras peticiones delante de Dios en toda oración y ruego, con acción de gracias». Filipenses 4.6

«*²⁴Por tanto, os digo que todo lo que pidáis orando, creed que lo recibiréis, y os vendrá*». *Marcos 11.24*

Si usted está ansioso por alguna cosa personal, simplemente vaya a la presencia de Dios. Haga una oración de petición y Dios se la contestará.

III. La oración de intercesión

La oración de intercesión es hacer una petición u oración delante de Dios poniéndose en el lugar de otro. Este tipo de oración es la que se hace para mediar, para ponerse en la brecha, para cubrir a otros, para proteger, para cercar y para hacer vallado por otros.

Recuerde que anteriormente, estudiamos que la oración de alabanza tiene que ver con honrar, glorificar, admirar y celebrar a Dios por lo que Él es y por sus poderosos hechos. La oración de petición es la oración por nosotros mismos y la oración de intercesión es para orar por otros. Cada uno de nosotros tiene muchas personas y cosas por las cuales interceder; presentémoslas al Señor intercediendo por ellas.

¿Cuáles son los motivos más importantes por los cuales la palabra de Dios nos manda a interceder?

Interceder por los que están en eminencia.

«*¹Exhorto ante todo, a que se hagan rogativas, oraciones, peticiones y acciones de gracias por todos los hombres, ²por los reyes y por todos los que tienen autoridad, para que vivamos quieta y reposadamente en toda piedad y honestidad. ³Esto es bueno y agradable delante de Dios, nuestro Salvador...*» *1 Timoteo 2.1-3*

Debemos interceder por todos aquellos que son líderes espirituales, gubernamentales, sociales, políticos, entre otros. También, debemos interceder por el presidente de la nación, el congreso, la cámara de representantes, los alcaldes, los comisionados, los pastores, sus familiares y los líderes de la iglesia. Esto es agradable delante de Dios.

La oración intercesora no es una oración egoísta, porque en ella no buscamos orar por nosotros mismos, sino por otros que necesitan el favor de Dios. La oración intercesora es también llamada la oración en el espíritu u oración en lenguas, y la podemos hacer de dos formas distintas.

1. Con el entendimiento
2. Con el Espíritu o en lenguas

Veamos qué nos dice la Palabra al respecto:

«[14]Si yo oro en lengua desconocida, mi espíritu ora, pero mi entendimiento queda sin fruto. [15]¿Qué, pues? Oraré con el espíritu, pero oraré también con el entendimiento; cantaré con el espíritu, pero cantaré también con el entendimiento...»
1 Corintios 14.14, 15

La traducción amplificada dice lo siguiente:

«...porque si oro en lenguas desconocidas mi espíritu por el Espíritu Santo dentro de mí ora, pero mi mente está improductiva, no lleva fruto y no ayuda a nadie».

«¿Qué pues? Yo oraré con mi espíritu por el Espíritu Santo dentro de mí, pero también oraré inteligentemente con mi mente y mi entendimiento; yo también cantaré con mi espíritu, por el Espíritu Santo dentro de mí, pero también cantaré inteligentemente con mi mente y mi entendimiento».

Cuando oramos con el entendimiento, que es en nuestro propio idioma, estamos orando inteligentemente de acuerdo con la palabra de Dios al citar las Escrituras. Pero, cuando oramos en lenguas desconocidas, es el Espíritu Santo a través de nosotros orando a Dios la perfecta voluntad del Señor para los santos.

¿Cuáles son los beneficios de orar en otras lenguas?

1. **Se edifica a sí mismo.** La palabra edificar en el idioma griego es *"oikodomes"*, que es el acto de construir, edificar una casa, un hogar. Figurativamente, se usa en el Nuevo Testamento, en el sentido de edificación o promoción espiritual; promueve el carácter de los creyentes. También, significa fundar, sobreedificar, reedificar.

   «⁴El que habla en lengua extraña, a sí mismo se edifica; pero el que profetiza, edifica a la iglesia». 1 Corintios 14.4

   Lo que nos está diciendo la palabra de Dios en este verso es, que cada vez que nosotros oramos en lenguas desconocidas, ponemos un ladrillo más; y a nivel interno, algo mejora, tal como podría ser nuestro carácter. En otras palabras, cuando oramos en lenguas, experimentamos una promoción espiritual de crecimiento interior. Después que usted ora durante una hora en lenguas, nunca será el mismo. Dios hará cambios en su edificio espiritual y lo promocionará.

   «²⁰Pero vosotros, amados, edificándoos sobre vuestra santísima fe, orando en el Espíritu Santo...» Judas 1.20

   Otra de las cosas que hace el orar abundantemente en el Espíritu o en lenguas, es cargarse a sí mismo. En mi propia vida, he experimentado que al terminar de orar, siento que me es impartida una carga de poder, y eso me capacita para orar por otros.

2. **Oramos la perfecta voluntad de Dios.** Recordemos lo estudiado anteriormente, cuando oramos en el espíritu por medio del Espíritu Santo, oramos a Dios la perfecta voluntad del Señor para los santos. Ahora bien, lo que tenemos que hacer es pedir al Espíritu Santo que nos ayude y nos guíe a saber por quién orar, qué orar, por qué orar y cuándo orar. De seguro, Él nos tomará de la mano y nos llevará a orar según la perfecta voluntad de Dios.

Si usted no sabe orar por algo o por alguien, simplemente pida la ayuda del Espíritu Santo y empiece a orar en lenguas. Preséntele el caso al Señor en su propio idioma y, después, continúe hablando y orando en lenguas.

3. **Oramos directamente a Dios y no a los hombres.** El orar en lenguas es una conexión directa de nuestro espíritu con Dios, que al mismo tiempo, nos comunica con Él, hablando misterios que solamente son entendidos por el Señor.

«²El que habla en lenguas no habla a los hombres, sino a Dios, pues nadie lo entiende, aunque por el Espíritu habla misterios». 1 Corintios 14.2

4. **Cuando oramos en lenguas exaltamos y magnificamos a Dios.**

«⁴⁴Mientras aún hablaba Pedro estas palabras, el Espíritu Santo cayó sobre todos los que oían el discurso. ⁴⁵Y los fieles de la circuncisión que habían venido con Pedro se quedaron atónitos de que también sobre los gentiles se derramara el don del Espíritu Santo, ⁴⁶porque los oían que

hablaban en lenguas y que glorificaban a Dios».
Hechos 10.44-46

Cada vez que nosotros oramos y cantamos en lenguas, estamos magnificando, exaltando, glorificando y honrando a Dios, porque estamos hablando el idioma del cielo.

5. **El orar en lenguas trae descanso espiritual.** Una de las razones principales por las cuales el orar en lenguas nos produce descanso, es porque ya no tenemos que esforzarnos nosotros mismos para alcanzar la gracia y el favor de Dios, sino que ahora somos conducidos por el Espíritu Santo para orar al Padre su perfecta voluntad.

«[11]...porque en lengua de tartamudos, en lenguaje extraño, hablará a este pueblo. [12]A ellos dijo: Éste es el reposo; dad reposo al cansado. Éste es el alivio, mas no quisieron escuchar». Isaías 28.11-12

Es muy importante hablar en otras lenguas para que nuestra vida de oración sea efectiva. A continuación, se nos explica cómo recibir dichas lenguas.

¿Cómo recibir la llenura del Espíritu Santo con la evidencia de hablar en otras lenguas?

1. **Usted debe nacer de nuevo.** Esto significa que usted debe recibir a Jesús en su corazón, arrepentirse de todos sus pecados y confesar a Jesús como Señor y Salvador de su vida.

«[3]Le respondió Jesús: De cierto, de cierto te digo que el que no nace de nuevo no puede ver el reino de Dios». Juan 3.3

2. **Debe creer que es para usted.** Todo creyente que desea recibir la llenura del Espíritu Santo, con la evidencia de hablar en otras lenguas, debe creer que lo puede recibir; porque el don es para los que creen, no para los incrédulos. Es parte del paquete de la salvación, y es la voluntad de Dios que usted lo reciba ahora mismo.

«¹⁷Estas señales seguirán a los que creen: En mi nombre echarán fuera demonios, hablarán nuevas lenguas..» Marcos 16.17

«³⁹...porque para vosotros es la promesa, y para vuestros hijos, y para todos los que están lejos; para cuantos el Señor nuestro Dios llame». Hechos 2.39

Usted puede ser un creyente nacido de nuevo, pero si no lo cree, estas señales no son para usted. Nótese lo que Jesús dijo: "estas señales seguirán a los que creen.

3. **Usted tiene que desearlo.** Tiene que tener sed por lo sobrenatural, tiene que quererlo y desear que esos ríos de agua viva fluyan de su interior.

«³⁷En el último y gran día de la fiesta, Jesús se puso en pie y alzó la voz, diciendo:—Si alguien tiene sed, venga a mí y beba. ³⁸El que cree en mí, como dice la Escritura, de su interior brotarán ríos de agua viva». Juan 7.37, 38

4. **Usted debe pedirlo.** Debemos pedir cada una de las bendiciones que Dios tiene para su pueblo, y una de ellas es el bautismo con el Espíritu Santo. Abra su boca y dígale: "Padre Celestial, dame el don de lenguas, dame la llenura de tu Espíritu Santo ahora mismo, en el nombre de Jesús, amén".

> «*¹Pues si vosotros, siendo malos, sabéis dar buenas dádivas a vuestros hijos, ¿cuánto más vuestro Padre celestial dará el Espíritu Santo a los que se lo pidan?*» Lucas 11.13

5. **El Espíritu Santo le da las lenguas, pero usted tiene que hablarlas.** Hay personas que quieren ser llenas del Espíritu Santo, pero no abren la boca para nada. Recuerde que el Señor le da el don, pero usted tiene que hablar las lenguas, abriendo su boca y moviendo su lengua.

> «*⁴Todos fueron llenos del Espíritu Santo y comenzaron a hablar en otras lenguas, según el Espíritu les daba que hablaran*». Hechos 2.4

De la misma manera que usted recibió la salvación por fe y por medio de la gracia, así recibirá la llenura del Espíritu Santo.

Algunos aspectos del bautismo con el Espíritu Santo:

La Palabra dice que el bautismo con el Espíritu Santo y el bautismo en agua están totalmente separados de la salvación. Después de haber nacido de nuevo, hay otra experiencia que lo llevará a caminar en lo sobrenatural, y ésta es el bautismo con el Espíritu Santo.

> «*¹¹Yo a la verdad os bautizo en agua para arrepentimiento, pero el que viene tras mí, cuyo calzado yo no soy digno de llevar, es más poderoso que yo. Él os bautizará en Espíritu Santo y fuego*». Mateo 3.11

Cuando usted recibe el bautismo con el Espíritu Santo, recibe como evidencia una lengua sobrenatural, y con ellas, también recibe un poder sobrenatural. Este poder le da la habilidad de ser un mejor testigo para Jesús, y le da la habilidad de tener un atrevimiento para testificar y ser testigo. Cada creyente que desee hablar en lenguas puede hacerlo, porque el don es para todos aquellos que creen; simplemente abra su corazón, créalo y actúe en ello ahora mismo.

IV. La oración de consagración o dedicación

«³⁵Yendo un poco adelante, se postró sobre su rostro, orando y diciendo: Padre mío, si es posible, pase de mí esta copa; pero no sea como yo quiero, sino como tú». Mateo 26.39

Éste es el tipo de oración donde el creyente confiesa y se arrepiente de algún pecado que haya cometido. También, tiene como propósito consagrar áreas de su vida que todavía son un impedimento en su vida espiritual.

Cada uno de nosotros ofende a Dios, ya sea de palabra, de pensamiento o de hecho. Por eso, necesitamos que Dios nos limpie con su sangre diariamente. Cada vez que usted se levante, después de alabar a Dios y presentar sus peticiones delante de Dios, debe hacer la oración de consagración y dedicación, esto es: confesar algún pecado cometido, arrepentirse y apartarse del mal.

Otra de las cosas que tenemos que hacer en la oración de consagración o dedicación, es consagrar áreas de nuestra vida que necesitan un cambio. Por ejemplo, debemos consagrar el mal carácter, la ira, el miedo, la inseguridad, la duda, la incredulidad, los deseos inmundos y los malos pensamientos. Al hacer la oración de consagración o dedicación, estamos haciendo pactos o compromisos con Dios para ser mejores creyentes cada día. Debemos ir delante de Su presencia todos lo días para ponernos a cuenta con Él.

Jesús tomó mucho tiempo para consagrar su voluntad al Padre, hasta el grado que tuvo que orar tres veces por lo mismo. De esa misma forma, tenemos que consagrar y dedicar nuestra voluntad a Dios todos los días hasta que logremos la victoria completa.

V. La oración de acción de gracias

En este tipo de oración, es donde le damos gracias a Dios por todo y en todo, por las bendiciones pasadas, las presentes y las futuras.

«*⁴Entrad por sus puertas con acción de gracias, por sus atrios con alabanza. ¡Alabadlo, bendecid su nombre!*» Salmos100.4

Este tipo de oración debe estar continuamente en nuestra boca y en nuestro corazón. Lo opuesto de estar agradecido es la queja, que es una irreverencia a Dios.

Hay personas que hacen este tipo de comentario: "yo no puedo darle gracias a Dios porque estoy en un gran problema", o "yo no puedo dar gracias cuando no lo siento". Sin embargo, la palabra del Señor nos dice que demos gracias en todo momento. Veamos qué nos dicen las Escrituras al respecto.

«*⁵Doy gracias a mi Dios siempre que me acuerdo de vosotros*». Filipenses 1.3

¿Cuándo debemos dar gracias a Dios?

Le debemos dar gracias a Dios: en la mañana, en la tarde, en la noche, al levantarnos y al acostarnos; en fin, debemos dar gracias siempre.

¿Por qué cosas debemos dar gracias a Dios?

Debemos aprender a darle gracias a Dios por todo. Esto significa que no importa el problema, la crisis o la situación en que estemos, debemos darle gracias a Dios. Esto incluye darle gracias por las *bendiciones pasadas, las presentes y las futuras.* Cuando realizamos esto, mantenemos un corazón agradecido para con Él, y recordamos su fidelidad y su gracia.

«¹⁸Dad gracias en todo, porque ésta es la voluntad de Dios para con vosotros en Cristo Jesús». 1 Tesalonisenses 5.18

Hay un sinnúmero de *bendiciones presentes* por las cuales dar gracias a Dios; por ejemplo: un milagro financiero, un milagro físico, una casa, un carro o una ofrenda. Estoy seguro que siempre habrá algo presente por lo cual debemos dar gracias a Dios.

Por otro lado, hay ciertas bendiciones personales que no nos llegan ahora en el presente hasta que demos gracias; éstas son las *bendiciones futuras.* Desde antes de que lleguen las respuestas a nuestras oraciones, ya tenemos que dar gracias. Nuestra acción de gracias son las oraciones de fe para traer el milagro. Confesemos, en todo momento, con acción de gracias salud, protección, liberación y sanidad.

«²⁰...dando siempre gracias por todo al Dios y Padre, en el nombre de nuestro Señor Jesucristo». Efesios 5.20

VI. La oración de esperar en Dios

Éste es el tipo de oración donde guardamos silencio delante de Él.

«⁷Guarda silencio ante Jehová y espera en Él. No te alteres con motivo del que prospera en su camino, por el hombre que hace lo malo». Salmos 37.7

Ésta es la parte difícil para muchos creyentes, pues les gusta hablar, hablar y hablar, pero no pueden callar. Hacer silencio delante de Dios es muy importante para que Él nos pueda hablar.

¿Cuál es el propósito de guardar silencio?

Es el tiempo mediante el cual Dios nos puede hablar. Recordemos que la oración es un diálogo y no un monólogo. En cada momento de oración, debemos darle tiempo al Señor para que nos hable. Esperemos su respuesta, pues Él la tiene, pero primero contemplemos su hermosura y su grandeza. El estar en silencio, esperando en Él, nos permite ver su gloria, le cede el paso a Dios y nos ayuda a estar más cerca de Él. Éste es el momento donde le damos permiso a Dios para que haga lo que desea en nosotros.

VII. La oración de atar y desatar

«¹⁸Y yo también te digo, que tú eres Pedro, y sobre esta roca edificaré mi iglesia; y las puertas del Hades no prevalecerán contra ella. ¹⁹Y a ti te daré las llaves del reino de los cielos; y todo lo que atares en la tierra será atado en los cielos; y todo lo que desatares en la tierra será desatado en los cielos». Mateo 16.18, 19

Éste es el tiempo de oración donde el creyente usa la autoridad dada por Dios en contra del enemigo.

Atar - significa prohibir, declarar ilegal e impropio o declarar ilegítimo algo. Cuando tenemos ataques en contra de nuestra familia, finanzas e hijos, es el momento de usar la autoridad que Dios nos dio para prohibir, atar, declarar ilegal e impropio lo que el enemigo está haciendo; y cuando lo hacemos, él tiene que huir.

Desatar - esta palabra significa hacer libre, abrir, permitir, declarar legítimo y legal algo. Lo mismo que hicimos con atar lo debemos hacer con desatar. Esto nos permite establecer el Reino de Dios en la tierra y declararlo legal, haciendo libre al oprimido, abriendo las puertas de los presos y soltando a los que están atados. Todo esto lo podemos hacer por medio de la oración de atar y desatar.

VIII. La oración de ponerse de acuerdo

«¹⁹Otra vez os digo que si dos de vosotros se ponen de acuerdo en la tierra acerca de cualquier cosa que pidan, les será hecho por mi Padre que está en los cielos». Mateo 18.19

Éste es el tipo de oración donde dos o más creyentes se ponen de acuerdo para orar al Señor. La oración de ponerse de acuerdo se debe practicar con la familia y con los hermanos que nos rodean.

Es interesante el significado de la palabra **acuerdo**. En el griego, la palabra acuerdo es *"sumfoneo"*, y se compone de dos palabras: **sum**, que significa junto, y *foneo*, que significa sonar. Así que, "sumfoneo" quiere decir sonar simultáneamente, estar en armonía. Esta palabra viene de la palabra sinfonía, que es sonar al unísono. La aplicación de sinfonía es creer y hablar lo mismo. Cuando dos o más se ponen de acuerdo, tienen que sanar de igual manera, esto es confesando y hablando lo mismo.

¿Cuáles son los pasos que debemos seguir para hacer la oración de ponerse de acuerdo?

1. **Buscar una persona con quién orar.** Esta persona debe ser alguien que ore y tenga su fe en un nivel igual o mayor que el de nosotros.

2. **Ponerse de acuerdo acerca de lo que van a pedir.** Sea específico y defina claramente lo que usted y la otra persona quieren pedir delante de Dios. Por ejemplo, oramos para que Dios nos dé un carro del año 2002, color negro, con aire, entre otras cosas.

3. **Después de orar y de haber presentado la petición, debemos confesar continuamente lo que pedimos y los resultados de lo que pedimos.** Esto es lo que se llama armonía. Una vez que nos ponemos de acuerdo y oramos por un carro verde del año, vamos a seguir creyendo, confesando y declarando lo mismo, y también, tenemos que estar confesando los mismos resultados.

4. **Dar gracias a Dios por la respuesta.** Los dos tenemos que dar gracias y declarar los mismos resultados.

La oración de ponerse de acuerdo tiene tanto poder que, por eso, el enemigo quiere traer división en los hogares, porque él sabe que si el esposo y la esposa se ponen de acuerdo, producirán una oración poderosa.

IX. La oración de sabiduría y de revelación

«¹⁶...no ceso de dar gracias por vosotros, haciendo memoria de vosotros en mis oraciones, ¹⁷para que el Dios de nuestro Señor Jesucristo, el Padre de gloria, os dé espíritu de sabiduría

y de revelación en el conocimiento de Él; [18]que Él alumbre los ojos de vuestro entendimiento, para que sepáis cuál es la esperanza a que Él os ha llamado, y cuáles las riquezas de la gloria de su herencia en los santos...» Efesios 1.16-18

Éste es el tipo de oración donde todo creyente pide a Dios que le dé sabiduría y revelación en el conocimiento de Él. Es una oración que, personalmente, la hago todos los días, porque es muy importante que cada uno de nosotros deseemos entender y conocer la palabra de Dios cada día más. Cuando hacemos este tipo de oración, los ojos de nuestro entendimiento se abren, y el Señor nos revela verdades ocultas al ojo y al oído natural.

¿Qué es revelación?

Revelación en el griego es *"apokalipsis"*, que significa desnudar, quitar el velo de una verdad que está escondida, es ver algo en las Escrituras que nunca se había visto.

«[13]Al llegar Jesús a la región de Cesarea de Filipo, preguntó a sus discípulos, diciendo: ¿Quién dicen los hombres que es el Hijo del hombre?» Mateo 16.13

La revelación de la palabra de Dios siempre viene al corazón y no a la mente. Cada revelación que Dios nos dé, permitirá que operemos en ella, utilizando las llaves del Reino, y eso nos investirá de autoridad para atar y desatar. Por eso, es importante siempre hacer este tipo de oración, para que el Señor nos dé espíritu de sabiduría y de revelación. El enemigo siempre nos quiere mantener lejos del conocimiento revelado, porque él sabe que si recibimos revelación en cualquier área, tendremos las llaves del Reino, y todo lo que atemos en la tierra será atado en el cielo.

La revelación es la que pone las llaves del Reino en sus manos y le da la autoridad para atar y desatar, para cerrar y abrir, para prohibir y permitir aquí en la tierra y en el cielo. Todos los creyentes que utilicen este tipo de oración, recibirán revelación de la Palabra, y al recibir revelación, el enemigo no podrá vencerlos porque no serán ignorantes. Por ejemplo, si usted recibe revelación de lo que es la liberación, obtendrá una llave del Reino para ser libre en esa área. Cada día, haga esta oración y caminará en la luz de la Palabra.

X. La oración unida

Éste es el tipo de oración donde todo un pueblo se pone de acuerdo para orar con un propósito específico.

«[24]*Ellos, al oírlo, alzaron unánimes la voz a Dios y dijeron: Soberano Señor, tú eres el Dios que hiciste el cielo y la tierra, el mar y todo lo que en ellos hay*». Hechos 4.24

«[31]*Cuando terminaron de orar, el lugar en que estaban congregados tembló; y todos fueron llenos del Espíritu Santo y hablaban con valentía la palabra de Dios*». Hechos 4.31

¿Cómo se hace la oración unida?

En unidad. Es cuando se unen en una sola mente y en un sólo propósito para interceder delante de Dios, y como resultado, Dios se mueve. Una de las cosas que hace que Dios se derrame con toda su gloria, es la unidad. Por eso, tenemos que buscarla en oración.

«[1]*¡Mirad cuán bueno y cuán delicioso es que habiten los hermanos juntos en armonía!* [2]*Es como el buen óleo sobre la cabeza, el cual desciende sobre la barba, la barba de Aarón, y baja hasta el borde de sus vestiduras...*» Salmos 133.1, 2

XI. La oración profética

Éste es el tipo de oración donde declaramos, confesamos y decretamos, por medio de la guianza del Espíritu, la palabra de Dios, los planes y los propósitos de Dios.

¿Cómo hacemos la oración profética?

- **Por medio de la guía del Espíritu Santo.** En un momento específico, Él nos toma y nos lleva a orar lo que desea; es proclamar y decretar la voluntad de Dios aquí en la tierra.

    «¹⁴Todos los que son guiados por el Espíritu de Dios, son hijos de Dios, ¹⁵pues no habéis recibido el espíritu de esclavitud para estar otra vez en temor, sino que habéis recibido el Espíritu de adopción, por el cual clamamos: ¡Abba, Padre!». Romanos 8.14, 15

- **Confesando** y declarando las Escrituras por conocimiento.

    «³Y me dijo: Hijo de hombre, ¿vivirán estos huesos? Yo le respondí: Señor, Jehová, tú lo sabes. ⁴Me dijo entonces: Profetiza sobre estos huesos, y diles: "¡Huesos secos, oíd palabra de Jehová! ⁵Así ha dicho Jehová, el Señor, a estos huesos: Yo hago entrar espíritu en vosotros, y viviréis. ⁶Pondré tendones en vosotros, haré que la carne suba sobre vosotros, os cubriré de piel y pondré en vosotros espíritu, y viviréis. Y sabréis que yo soy Jehová". ⁷Profeticé, pues, como me fue mandado; y mientras yo profetizaba se oyó un estruendo, hubo un temblor ¡y los huesos se juntaron, cada hueso con su hueso! ⁸Yo miré, y los tendones sobre ellos, y subió la carne y quedaron cubiertos por la piel; pero no había en ellos espíritu. ⁹Me

dijo: «Profetiza al espíritu, profetiza, hijo de hombre, y di al espíritu que así ha dicho Jehová, el Señor: "¡Espíritu, ven de los cuatro vientos y sopla sobre estos muertos, y vivirán!». Ezequiel 37.3-9

La palabra hablada tiene mucho poder. La palabra de Dios da vida cuando la profetizamos, la proclamamos y la hablamos a cosas muertas, a matrimonios rotos, a cuerpos enfermos y a negocios en quiebra. Somos lo que oramos; por lo tanto, declare la Palabra cada día que se levante. Háblele a ese cuerpo enfermo y dígale que está sano por las llagas de Jesús. Hable y profetice a todo aquello que se encuentra adverso a la palabra de Dios.

La oración profética la podemos hacer con la guía del Espíritu Santo y del conocimiento de la palabra de Dios; decretando y declarando lo que ésta habla acerca del problema o de la bendición deseada.

XII. La oración de alabanza y de adoración

Éste es el tipo de oración donde alabamos y adoramos a Dios por lo que Él es y por todas sus obras. Refiérase al comienzo del Capítulo VI y encontrará amplia información acerca de este tópico.

Quiero concluir recordándole algo: todo tiempo de oración debe ser iniciado y terminado con alabanza y adoración a Dios. Si cada uno de nosotros oramos cinco minutos, utilizando cada una de estas oraciones, podríamos orar durante una hora diaria. También, podríamos desarrollar una vida de oración continua y perseverante por medio de los tres pilares: el compromiso, la disciplina y la perseverancia. Empiece hoy y el Señor le bendecirá.

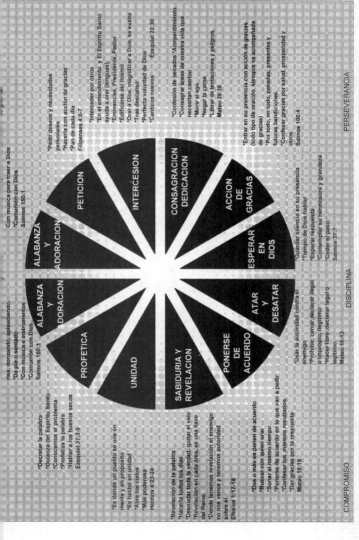

risa, danzando, aplaudiendo.
*De pie o sentado
*Con música e instrumentos
*Comunión con Dios

Con música para traer a Dios
*Comunión con Dios
Salmos 150:1

*Pedir deseos y necesidades
personales
*Hacería con acción de gracias
*Pan de cada día
Filipenses 4:6-7

*Interceder por otros
*En el entendimiento y El Espíritu Santo
ayuda a orar (lenguas)
*Eminencias, Presidente, Pastor.
*Edificarse así mismo
*Orar a Dios, magnificar a Dios, se exalta
*Trae descanso
*Perfecta voluntad de Dios
*Cánticos nuevos   Ezequiel 22:30

*Confesión de pecados *Arrepentimiento
*Consagrar áreas de nuestra vida que
necesitan cambio
*Morir al ego
*Negar la carne
*Librar de tentaciones y peligros.
Mateo 26:39

*Entrar en su presencia con acción de gracias
(todo tipo de oración, siempre va acompañada
de gracias)
*Por todo, en todo, pasadas, presentes y
futuras bendiciones.
*Confesar gracias por salud, prosperidad y
otros
Salmos 100:4

*Guardar silencio en su presencia
*Tiempo de Dios hablar
*Esperar respuesta
*Contemplar su hermosura y grandeza
*Ceder el paso.
Salmos 37:7

*Usar la autoridad contra el
enemigo
*Prohibir, cerrar, declarar ilegal
o impropio, ilegítimo
*Hacer libre declarar legal o
legítimo.
Mateo 16:13

*Dos o más se ponen de acuerdo
*Buscar con quien orar
*Orar al mismo tiempo
*Ponerse de acuerdo en lo que van a pedir
*Confesar los mismos resultados
*Dar gracias por la respuesta
Mateo 18:19

*Revelación de la palabra
*Hacería todos los días
*Desnudar toda la verdad, quitar el velo
*Revelación en cada área, es una llave
del Reino.
*Donde tenemos revelación el enemigo
no nos vence y tenemos autoridad
sobre él.
Efesios 1:17-18

*Es donde un pueblo se une en
mente y en propósito
*Es hecho en unidad
*Abre los cielos
*Más poderosa
Hechos 4:23-24

*Decretar la palabra
*Guianza del Espíritu Santo
*Conocemos el problema
*Profetiza la palabra
*Hablar a los huesos secos
Ezequiel 37:3-9

Texto en el diagrama circular:
ALABANZA Y ADORACIÓN
PETICIÓN
INTERCESIÓN
CONSAGRACIÓN DEDICACIÓN
ACCIÓN DE GRACIAS
ESPERAR EN DIOS
ATAR Y DESATAR
PONERSE DE ACUERDO
SABIDURÍA Y REVELACIÓN
UNIDAD
PROFÉTICA
ALABANZA Y ADORACIÓN

COMPROMISO   DISCIPLINA   PERSEVERANCIA

141

CAPÍTULO VIII

El ayuno y la oración como estilo de vida

¿Qué es el ayuno?

Es la abstención voluntaria de ingerir alimentos por un período de tiempo determinado, con la finalidad de buscar el rostro de Dios y de tener comunión íntima con Él.

«*¹²Convertíos a mí con todo vuestro corazón, con ayuno y lloro y lamento*». *Joel 2.12*

La palabra **convertíos** significa retornar al punto de partida; retornar a buscar el rostro de Dios. Para volver a Dios, necesitamos hacerlo con todo nuestro corazón, con ayuno y con lloro. La sociedad de hoy está pervertida. Los hijos son más rebeldes y la falta de integridad abunda por todas partes. Hay crisis de valores morales y el pecado está muy cerca de nosotros. Nada de esto puede cambiar si no tenemos una vida de ayuno y de oración.

«*¹⁶**Cuando** ayunéis, no seáis austeros, como los hipócritas; porque ellos demudan sus rostros para mostrar a los hombres que ayunan; de cierto os digo que ya tienen su recompensa. ¹⁷Pero tú, cuando ayunes, unge tu cabeza y lava tu rostro, ¹⁸para no mostrar a los hombres que ayunas, sino a tu Padre*

que está en secreto; y tu Padre que ve en lo secreto te
recompensará en público». Mateo 6.16-18

"Cuando" implica que lo podemos hacer cuando querramos;
no hay que esperar a la guianza de Dios ni que alguien nos lo
diga. El ayuno y la oración era un estilo de vida para la iglesia
primitiva, y debería serlo para la Iglesia de hoy también.

«⁵En azotes, en cárceles, en tumultos, en trabajos, en des-
velos, en ayunos; ⁶en pureza, en ciencia, en longanimidad, en
bondad, en el Espíritu Santo, en amor sincero...».
2 Corintios 6.5, 6 (Pablo)

«¹Había entonces en la iglesia que estaba en Antioquía,
profetas y maestros: Bernabé, Simón el que se llamaba Niger,
Lucio de Cirene, Manaén el que se había criado junto con
Herodes el tetrarca, y Saulo. ²Ministrando éstos al Señor y
ayunando, dijo el Espíritu Santo: Apartadme a Bernabé y a
Saulo para la obra a que los he llamado. ³Entonces, habiendo
ayunado y orado, les impusieron las manos y los despi-
dieron». Hechos 13.1-3 (apóstoles)

Lo más importante es que el ayuno se practique como un
"estilo de vida". Es decir, debemos ayunar cada semana, cada
mes, cada dos meses, dos veces a la semana, ya sea un ayuno
parcial, absoluto o total. No espere la guianza de Dios para
ayunar, porque Jesús ya dijo: "cuando ayunéis," y esto implica
que usted decide cuándo debe hacerlo.

¿Cuáles son los tres tipos de ayuno bíblico?

1. **Total** - éste es el que se realiza sin la ingestión de alimentos
   sólidos, líquidos o sin agua. Por ejemplo, Ester y el pueblo
   judío "no comieron ni bebieron."

2. **Absoluto** - se hace sin comer alimentos sólidos, pero se ingiere agua. Por ejemplo, en Mateo 4.1-11, dice: "Y después de haber ayunado cuarenta días y cuarenta noches, tuvo hambre". En ningún momento, se menciona que no comió ni bebió; tampoco dice que tuvo sed.

3. **Parcial** - es el ayuno que se hace eliminando cierto tipo de alimento y bebida de la dieta que usualmente ingerimos. Como, por ejemplo, en el caso de Daniel.

   «*³No comí manjar delicado, ni entró en mi boca carne ni vino, ni me ungí con ungüento, hasta que se cumplieron las tres semanas*». *Daniel 10.3*

También, podemos decir que el ayuno parcial es cuando suprimimos una o dos de las comidas del día, como el desayuno y el almuerzo, o cuando solamente ingerimos frutas o vegetales.

¿Cuál es el propósito del ayuno?

Hay siete razones por las cuales debemos ayunar. Éstas son:

1. **Honrar a Dios.** Honramos a Dios cuando decidimos dedicar un tiempo para estar con Él y para buscar su rostro. Es un momento solamente para Él, mediante el cual reconocemos y le damos a Dios el lugar que se merece.

2. **Para humillarnos y arrepentirnos delante de Él.** Pocas veces, nos damos cuenta de que somos orgullosos. Tampoco nos damos cuenta cuando somos humildes. La arrogancia y la humildad son dos misterios. Nadie va diciendo soy orgulloso ni tampoco va diciendo soy humilde. Es algo que uno es; es una condición del corazón. En el único momento que nos damos cuenta de que hemos sido

orgullosos, es cuando estamos en ayuno y en oración, ya que nos permite ver nuestra condición.

«*¹El día veinticuatro del mismo mes se reunieron los hijos de Israel en ayuno, y con cilicio y tierra sobre sí. ²Y ya se había apartado la descendencia de Israel de todos los extranjeros; y estando en pie, confesaron sus pecados, y las iniquidades de sus padres*». Nehemías 9.1, 2

Durante el ayuno, Dios nos muestra nuestro orgullo. Él nos puede humillar en público o en privado. Si lo hace en público, la humillación es más larga porque lo estamos resistiendo, pero si lo hace en privado la humillación es más corta porque es iniciada por nosotros y no por Él.

«*¹⁵Porque así dijo el Alto y Sublime, el que habita la eternidad, y cuyo nombre es el Santo: Yo habito en la altura y en la santidad, y con el quebrantado y humilde de espíritu, para hacer vivir el espíritu de los humildes, y para vivificar el corazón de los quebrantados*». Isaías 57.15

La palabra de Dios nos exhorta a que nos probemos a nosotros mismos si estamos en la fe. ¿Cómo nos probamos? Humillándonos en la presencia de Dios, en ayuno y en oración.

3. **Para enfrentar crisis.** Cada vez que se levanta una crisis en nuestra vida, y cuando estamos pasando por desiertos, tentaciones, problemas financieros, problemas matrimoniales y obstáculos que el enemigo ha levantado, es tiempo de ayunar y orar.

«*¹Pasadas estas cosas, aconteció que los hijos de Moab y de Amón, y con ellos otros de los amonitas, vinieron contra Josafat a la guerra. ²Y acudieron algunos y dieron aviso a Josafat, diciendo: Contra ti viene una gran multitud del otro lado del mar, y de Siria; y he aquí están en Hazezontamar, que es Engadi. ³Entonces él tuvo temor; y Josafat humilló su rostro para consultar a Jehová, e hizo pregonar ayuno a todo Judá». 2 Crónicas 20.1-3*

Cuando hay un gran ejército rodeándote y tienes que enfrentarlo, entonces es tiempo de ayunar. Cada vez que estés enfrentando una crisis, declárale guerra al enemigo con ayuno y oración.

4. Para oír y buscar dirección de Dios.

«*³Confortará mi alma; me guiará por sendas de justicia por amor de su nombre». Salmos 23.3*

Algunas veces, nos encontramos en situaciones difíciles, y no sabemos cómo actuar; no sabemos si golpear la roca, si tirar la vara, si tomar autoridad o si esperar en Dios. Por lo tanto, para oír de Dios, es necesario hacer del ayuno un estilo de vida.

5. Para ordenar personas al ministerio. Cada vez que se separa un hombre o una mujer para el ministerio, debemos ayunar. Es algo que Dios toma en serio y es de gran importancia.

«*¹En la iglesia que estaba en Antioquia habían profetas y maestros. Eran Bernabé, Simón (al que también llamaban el Negro), Lucio de Cirene, Manaén (que se había criado junto con Hedores, el que gobernó en Galilea) y Saulo. ²Un día, mientras estaban celebrando el culto al Señor y ayunando, el Espíritu Santo dijo: "Sepárenme a Bernabé y a Saulo para el trabajo al cual los he llamado". ³Entonces, después de orar y ayunar, les impusieron las manos y los despidieron».   Hechos 13.1-3*

6. **Para desarrollar sensibilidad espiritual.** Cuando estamos ayunando, se agudiza nuestra sensibilidad y nuestra percepción espiritual. Normalmente, lo que no entendíamos de la Palabra, lo podemos comprender mejor después del ayuno. Cuando se nos dificulta oír la voz de Dios y ayunamos, la oímos mejor. Los brujos, los espiritistas y los satanistas ayunan contra la iglesia de Cristo. Ellos dicen que es para que más espíritus vengan a ellos y así tener más poder. ¡Imagínese cómo es el poder de Dios cuando un creyente ayuna y ora!

7. **Para desatar ligaduras de impiedad.**

«⁶¿No es más bien el ayuno que yo escogí, desatar las ligaduras de impiedad, soltar las cargas de opresión, y dejar ir libres a los quebrantados, y que rompáis todo yugo?»   Isaías 58.6

Según estudiamos anteriormente, **desatar** en el idioma hebreo, significa abrir una puerta que estaba cerrada, liberar a alguien, desatar un prisionero, desamarrar el nudo de una cuerda. Hay lazos y trampas que el enemigo ha traído a nuestra vida que nunca van a ser rotas, sino es con ayuno y oración. La manera de abrir una puerta que está cerrada, ya sea de negocios, trabajo, ministerio, matrimonio, salud, entre otros, es a través del ayuno.

¿Cuáles son los pasos para ayunar?

1. **Proclame ayuno delante de Dios con su boca.** Cuando lo haga, dígale a Dios qué tipo de ayuno va a hacer: absoluto, parcial o total. También, dígale qué tiempo va a durar su ayuno y proclame con su boca el momento en que va a iniciar el ayuno.

2. **Defina el propósito de su ayuno.** ¿Cuál es la razón por la que usted está proclamando el ayuno? Puede ser uno o más propósitos por los que usted desea ayunar. Antes de iniciarlo, sea específico y defina el propósito delante de Dios. Por ejemplo: "Señor, yo proclamo ayuno por la salvación de mis hijos".

3. **Pida la asistencia del Espíritu Santo.** Él es nuestro consolador y confortador. Pídale la fuerza espiritual, física y emocional para que, mientras esté haciendo el ayuno, no se debilite. Este punto es importante porque algunas personas son tentadas a cortar el ayuno, pero si le pidió la ayuda al Espíritu Santo de antemano, Él le ayudará.

4. **Reciba la recompensa de antemano.** *«Vuestro Padre que está en los cielos os recompensará en público».*

   «¹⁶Cuando ayunéis, no seáis austeros, como los hipócritas; porque ellos demudan sus rostros para mostrar a los hombres que ayunan; de cierto os digo que ya tienen su recompensa. ¹⁷Pero tú, cuando ayunes, unge tu cabeza y lava tu rostro». Mateo 6.16, 17

Déle gracias al Señor de antemano por la recompensa o el propósito por el cual usted está ayunando y orando. Esto no es un negocio con Dios, pero como resultado de su búsqueda,

Él le recompensará. Dios recompensa a aquellos que le buscan diligentemente.

Para concluir esta parte, podemos decir que el ayuno y la oración van juntos. Cuando nosotros como creyentes lo hacemos con la intención correcta y según la forma bíblica correcta, los resultados son poderosos.

Recordemos que el ayuno no cambia a Dios, los que cambiamos en el tiempo de ayuno somos nosotros. El ayuno es solamente un medio para disfrutar de la presencia de Dios. También, recuerde que el ayuno debe ser un estilo de vida; no es hacerlo de vez en cuando, porque los resultados no serán los mismos. No importa qué tipo de ayuno hagamos, con tal de que lo hagamos continuamente, los resultados serán maravillosos.

CAPÍTULO IX

¿Cómo orar por nuestra familia inconversa?

Nadie que supiera lo que es el infierno le gustaría ir a ese lugar de tormento. La palabra de Dios lo describe como un lugar donde el fuego nunca se apaga y el gusano nunca muere. Es a este lugar, donde van a parar todas aquellas personas que no recibieron a Cristo como su Señor y Salvador. Hay ciertas preguntas que surgen acerca del por qué muchas personas no ven la verdad del evangelio. Algunas de éstas son: ¿Qué los priva de no ver la verdad? ¿Qué es lo que les impide creer en el evangelio? ¿Será que Dios no quiere salvarlos? ¿Será que algo les impide creer?

Antes de estudiar todo esto, vamos a dar una explicación de lo que Dios desea para su pueblo.

Dios desea salvar todas las almas

«⁹El Señor no retarda su promesa, según algunos la tienen por tardanza, sino que es paciente para con nosotros, no queriendo que ninguno perezca, sino que todos procedan al arrepentimiento». 2 Pedro 3.9

Este verso de la Escritura es poderoso. Nos explica que la voluntad de Dios es que nadie se pierda. Entonces, ¿por qué muchas personas se pierden y no creen en Cristo si usted y yo sabemos que la voluntad de Dios es salvar a todo el mundo? ¿Qué les impide creer? Dios no es el problema para que nuestra familia sea salva. Veamos, entonces, de quién es el problema. La palabra de Dios enseña que cada persona en este mundo está cegada por el enemigo para no poder ver la verdad.

«*³Pero si nuestro evangelio está aún encubierto, entre los que se pierden está encubierto; ⁴en los cuales el dios de este siglo cegó el entendimiento de los incrédulos, para que no les resplandezca la luz del evangelio de la gloria de Cristo, el cual es la imagen de Dios». 2 Corintios 4.3, 4*

Profundicemos un poco acerca de lo que Dios nos habla en estos versos. La palabra encubierto en el griego es "*kalupsis*", que significa escondido, cubierto, envuelto. ¿Qué nos quiere decir esto? Que los incrédulos no pueden ver la luz del evangelio porque el enemigo los tiene cegados. Sin embargo, a nosotros los creyentes se nos fue dada la autoridad y el poder para quitarles el velo de sus mentes. Esta palabra está relacionada con la palabra griega "*apokalupsis*", que significa revelación, quitar el velo, desnudar, descubrir. Lo que quiero decir es que, hasta que el inconverso no tenga una revelación del evangelio de Jesús, no puede conocer al Señor.

«*¹⁷Entonces le respondió Jesús: Bienaventurado eres, Simón, hijo de Jonás, porque no te lo reveló carne ni sangre, sino mi Padre que está en los cielos». Mateo 16.17*

La meta del enemigo es esconder la verdad del evangelio, para mantener a los inconversos atados. La revelación es la luz que hace que los incrédulos entiendan y sean alumbrados con la verdad. Donde no hay revelación, no puede haber luz, y si no hay luz, habrá tinieblas.

«*⁴Esto es, entre los incrédulos, a quienes el dios de este mundo les cegó el entendimiento, para que no les resplandezca la luz del evangelio de la gloria de Cristo, el cual es la imagen de Dios». 2 Corintios 4.4*

La palabra **cegar** en el griego es *"tuphloo"*, que significa oscurecer, embotar, entorpecer el intelecto y la mente. La raíz de esta palabra significa "hacer un humo". La idea que da es la de una pantalla de humo que se oscurece hasta el punto de no poder ver. Hay una cubierta de tinieblas en las mentes de los incrédulos puesta por el enemigo, para que no puedan entender el evangelio.

¿Qué nos está diciendo la Palabra? La razón por la cual las personas son incrédulas en Jesús, es porque el enemigo les ha oscurecido el entendimiento y les ha entorpecido su mente, de tal manera que aunque ellos quieran ver la verdad, no pueden. Hay muchas personas en el mundo que están totalmente escépticas a las cosas de Dios, que no quieren saber de Él, y es porque están cegados por el diablo.

¿Qué es lo que ciega el entendimiento de los incrédulos? El **orgullo y la soberbia en cada ser humano** es lo que hace que la persona rechace lo que los demás le dicen que tiene que hacer. No quiere someterse a nadie, quiere vivir la vida como le parece, es independiente de Dios y cree que puede vivir sin Él. El egoísmo, la autojustificación y la independencia son parte del orgullo y la soberbia del ser humano, y eso es lo que usa el diablo para cegar su mente.

El pago por ser una persona orgullosa es la ceguera espiritual.

El amor a sí mismo, todo aquello que satisfaga al ego, la exaltación del yo y cualquier mensaje que predica la negación del ego es ofensivo al ego mismo. ¿Qué tenemos que hacer para quitarle el velo? Debemos orar efectivamente para que la raíz de orgullo sea quitada de nuestra familia y de todas aquellas personas por las cuales oramos para que vengan a los pies de Cristo. Debemos entender que la razón por la cual las personas no conocen al Señor y no quieren saber nada de Él, es porque el enemigo las tiene cegadas con el entendimiento entenebrecido, de tal manera que aunque ellos quieran entender, no pueden. Entonces, está de nuestra parte como creyentes, orar para quitarles el velo que les priva ver la luz del evangelio y entender la verdad.

¿Cuáles son los pasos para orar efectivamente por nuestra familia inconversa?

1. Romper, en el nombre de Jesús, el poder del diablo que los ciega.

Una de las cosas que tenemos que hacer para romper el poder del enemigo, es ser específico y orar con poder. Por ejemplo:

"Padre celestial, yo rompo el poder del diablo que ciega a _____ (el nombre de la persona) y te ordeno, en el nombre de Jesús, que lo sueltes y que quites el velo que le ciega su mente, ahora mismo. Rompo todo poder de ceguera espiritual, orgullo y soberbia".

Algunas veces, el poder del enemigo será roto instantáneamente, y en otras, progresivamente. De cualquier forma, usted no se dé por vencido. No deje de orar aunque esa persona de su familia o amigo se ponga peor después que usted empezó a orar por ellos. Siga orando, que en el mundo espiritual, el poder del diablo se ha roto. ¡Créalo con todo su corazón y siga orando sin desmayar!

2. **Orar para que Dios envíe obreros a su mies.**

«²Y les decía: La mies a la verdad es mucha, mas los obreros pocos; por tanto, rogad al Señor de la mies que envíe obreros a su mies». Lucas 10.2

Dios es un ser que tiene todo en abundancia, excepto una cosa: obreros. La razón de esto es que no depende de Él, sino de la voluntad del hombre. Dios no obliga a nadie a servirle. Si le servimos a Él, es porque así lo deseamos y lo sentimos en nuestro corazón.

Para que nuestra familia se salve, es necesario que cada día oremos, para que Dios le envíe personas a nuestros familiares inconversos y así le hablen de Él. También, debemos orar para que dondequiera que estén y con cualquiera que estén, el Señor envíe obreros del evangelio a hablarles de Jesús, ya sea en la escuela, en la cárcel, en el hospital, en el negocio y en otros lugares.

Recuerdo que cuando no conocía al Señor Jesucristo, a dondequiera que yo iba, siempre había alguien que me hablaba del Señor. Por ejemplo: en la universidad, en la barbería, en el cine, en el restaurante, en todo lugar habían personas que me hablaban de Jesús, y esto era porque alguien estaba orando por mi salvación. Alguien había roto el poder del diablo que cegaba mi entendimiento, y esto me ayudó a estar listo para recibir la salvación.

3. Orar para que Dios prepare sus corazones y puedan recibir el evangelio.

«²⁰Y los que fueron sembrados en buena tierra son los que oyen la palabra, la reciben y dan fruto a treinta, a sesenta y a ciento por uno». Marcos 4.20

Oremos cada día para que el Señor prepare el corazón de esa persona inconversa, que lo haga tierno y dócil. Que su corazón sea una buena tierra para sembrar el evangelio, y para que cuando la Palabra sea sembrada, lleve fruto. Oremos, también, para que la palabra de Dios le sea revelada en su corazón y quite el velo.

4. Orar para que tengan un verdadero arrepentimiento.

«⁹El Señor no retarda su promesa, según algunos la tienen por tardanza, sino que es paciente para con nosotros, no queriendo que ninguno perezca, sino que todos procedan al arrepentimiento». 2 Pedro 3.9

El arrepentimiento verdadero es un cambio de mente, de dirección y de corazón. Es un nuevo entendimiento que viene de Dios como resultado de tener una revelación. Esa revelación produce un cambio de acción y de dirección, y un cambio en el estilo de vida.

5. Orar para que sean iluminados los ojos de su entendimiento.

«¹⁷...para que el Dios de nuestro Señor Jesucristo, el Padre de gloria, os dé espíritu de sabiduría y de revelación en el conocimiento de Él; ¹⁸alumbrando los ojos de nuestro entendimiento, para que sepáis cuál es la esperanza a que *él os ha llamado, y cuáles las riquezas de la gloria de su herencia en los santos...» Efesios 1.17, 18*

Todos los días y sin desmayar, debemos poner en práctica cada uno de estos pasos. No importa lo que veamos en nuestra familia, aún cuando las personas por las cuales estamos orando se pongan peor, debemos seguir orando hasta que se logre el rompimiento y la promesa de Dios se cumpla. Recuerde que, una vez que usted fue salvo, hay una promesa que incluye a su familia, que automáticamente, Dios la incluyó en el pacto que usted hizo con Él al recibirle como Señor y Salvador de su vida.

«³¹Ellos dijeron: — Cree en el Señor Jesucristo, y serás salvo tú y tu casa». Hechos 16.31

No desmaye, no se desanime y continúe orando por su familia. Dios es fiel para cumplir la promesa que nos ha hecho.

CAPÍTULO X

¿Cómo comenzar un ministerio de intercesión y oración en una iglesia local?

Tener un ministerio de oración e intercesión es muy importante en una iglesia local. Una de las cosas que Dios me habló cuando empezamos nuestra iglesia, fue el establecer un ministerio de oración e invertir en la oración. En ese momento, no entendí lo que Dios quería decir con invertir dinero en la oración. Pero después, el Señor me dijo que la manera de invertir dinero en la oración era trayendo intercesores a tiempo completo al ministerio y darles un salario. Al principio, me criticaron mucho, porque decían que a nadie se le pagaba por orar. Sin embargo, una de las respuestas que yo daba a las personas, era que el obrero es digno de su salario. Recordemos que el don de intercesión es un don dado por Dios a los creyentes, así como lo es el pastor, el evangelista, el profeta, el maestro o cualquier otro don, por los cuales también se recibe remuneración.

El ministerio de intercesión en nuestra iglesia lo inició y lo dio a luz en el espíritu mi esposa Ana en las madrugas. Ella, mientras estaba embarazada de Ronald, se levantaba de madrugada todos los días. Para ese tiempo, estábamos levantando la iglesia, y la construcción de la misma, se estaba llevando a cabo. Algunas veces nadie iba, pero el perseverar es un factor muy importante, y aunque no era muy cómodo orar en medio de los escombros de la construcción, iniciamos el ministerio de intercesión cubriendo tres horas diarias. Yo creo que si queremos que las personas de la iglesia se involucren, nosotros como líderes debemos ser los primeros en dar el ejemplo, de otra manera, los demás no van a apoyar. Al día de hoy, ya estamos cubriendo las 24 horas de oración. Tenemos 12 intercesores a tiempo completo. Ellos interceden ocho horas diarias en diferentes turnos.

Es de hacer notar que éstos son los turnos de intercesión que cubren los intercesores a tiempo completo. Adicional a éstos, hay unos 200 intercesores voluntarios, aproximadamente, cubriendo otros horarios.

Para poder iniciar un ministerio de intercesión, debemos hacernos ciertas preguntas que nos dirigirán en la conformación del mismo en la iglesia. Vamos a estudiar algunas razones por las cuales es importante el ministerio de intercesión en una iglesia local.

I. ¿Cuál es el propósito de levantar un ministerio de oración e intercesión en una iglesia local?

a. Para edificar una protección espiritual alrededor de la iglesia, las familias de la iglesia y el pastor de la iglesia. Cada vez que el enemigo levanta un ataque contra un ministerio, éste se descubre y se destruye en oración e intercesión. Algunas veces, los intercesores destruyen los ataques del diablo antes que me lleguen a mí como pastor.

La oración y la intercesión forman un cerco, una muralla y un vallado alrededor de la iglesia y sus familiares, y no permiten que el enemigo penetre.

b. Para dar a luz cosas establecidas en la visión de la iglesia local y del cuerpo de Cristo.

«*19Hijitos míos, por quienes vuelvo a sufrir dolores de parto, hasta que Cristo sea formado en vosotros...*» Gálatas 4.19

La mayoría de todas las bendiciones dadas por Dios a los ministerios, tales como: edificios, propiedades, televisión, radio, terrenos, almas, sanidades, milagros y otros, son dados a luz en el espíritu por medio de los intercesores. Algunas cosas toman días, semanas, meses y años para que se manifiesten, pero siempre se obtiene la victoria.

Si en una iglesia local no hay un ministerio de intercesión, no habrá cosas nuevas que se den a luz, ni tampoco la voluntad de Dios se llevará a cabo con ese ministerio local.

c. Orar por las necesidades del pueblo de Dios.

Hoy día, encontramos muchos creyentes derrotados, heridos y lastimados que necesitan oración. Ellos no pueden defenderse por sí solos, y es ahí donde entra el ministerio de intercesión para ponerse en la brecha por ellos.

II. ¿Qué es el don de intercesión y cómo podemos identificar a los verdaderos intercesores?

Una de las claves del ministerio de oración efectiva es poner personas que tienen el don, el amor y la pasión por la oración. A continuación, estudiaremos qué es el don de intercesión y cuáles son las evidencias que muestran que un creyente lo posee. Además, mencionaré algunos peligros y cuáles son los diferentes tipos de intercesores que existen.

El don de la intercesión

¿Qué es el don de **intercesión**? Es la habilidad dada al creyente por el Espíritu Santo para orar largos períodos de tiempo. Además, es tener una pasión grande por la oración y ponerse en el lugar de otros en oración delante de Dios.

«*30Busqué entre ellos un hombre que levantara una muralla y que se pusiera en la brecha delante de mí, a favor de la tierra, para que yo no la destruyera; pero no lo hallé*». *Ezequiel 22.30*

¿Cuál es el **propósito** del don de intercesión?

- Edificar una protección espiritual alrededor de la iglesia y de los familiares.

- Pararse en la brecha, entre Dios y los hombres, para llevar a cabo la voluntad de Dios aquí en la tierra.

- Dar a luz cosas establecidas en la visión de la iglesia local y del cuerpo de Cristo.

- Hacer guerra contra el diablo y sus demonios, destruyendo todo plan del enemigo.

¿Cuáles son las evidencias que muestran que un creyente tiene el don o el ministerio de intercesión?

1. Oran por largos períodos de tiempo y disfrutan la oración.

   Ésta es una evidencia muy clara en un intercesor, que puede estar orando por muchas horas y no se queja, al contrario, disfruta la oración.

2. Operan fuertemente en el don de discernimiento de espíritus.

   Los intercesores perciben, sienten, ven y oyen a menudo en el mundo espiritual. Esto es debido a que operan en el don de discernimiento de espíritus.

3. Los intercesores se identifican con la carga y con el dolor de las personas.

   Cuando ellos están hablando con una persona, pueden percibir cualquier carga o problema de esa persona, e inmediatamente, comenzar a orar por eso.

4. A menudo, obtienen respuestas a sus oraciones, más que cualquier otro creyente promedio.

   Dios les contesta sus oraciones, aun cuando sean muy específicas. Los resultados son más poderosos que los de cualquier otro creyente.

5. Constantemente tienen una actitud de oración.

   No importa dónde estén y con quién estén, todo el tiempo están intercediendo. La palabra de Dios nos habla de orar sin cesar. Éste es el caso del intercesor: siempre tiene una actitud de oración.

6. **Operan en el don de compasión y amor.**

   Ésta es una de las evidencias de un verdadero intercesor. Es decir, lo que hace a un intercesor sensible a la carga y al dolor de las personas, es que están llenos de amor y compasión.

7. **A menudo, reciben sensaciones o síntomas en su cuerpo físico que les advierte de un peligro.**

   Hay muchos intercesores que sienten los síntomas de la persona o de la situación por la que están orando. Por ejemplo: dolor de cabeza, dolor en la espalda, vómitos, mareos y otros. Esto ocurre mayormente a los intercesores de crisis.

8. **Los intercesores son muy sensibles al mundo espiritual.**

   Algunos de ellos, si no tienen cuidado, se pueden inclinar a percibir más lo malo que lo bueno.

9. **Tienen una pasión profunda por la oración y la intercesión.** La mentalidad de un intercesor es que todo se puede resolver con oración. Creen que no hay nada imposible para Dios.

10. **Los intercesores odian las injusticias.**

    Cuando el intercesor ve una injusticia, su corazón se compadece. Podemos estudiar más evidencias de lo que es un verdadero intercesor, pero las características anteriormente mencionadas son las más comunes.

¿Cuáles son los peligros del don de la intercesión si no se opera correctamente?

- El creer que solamente ellos oyen de Dios, y que son la última autoridad de Dios aquí en la tierra.

- Creerse superior a otros espiritualmente porque oran más tiempo.

- Una tendencia a percibir, ver y sentir más lo malo que lo bueno.

- El querer manipular al pastor y a los líderes con sus oraciones.

- Hacer oraciones de juicio sobre las personas.

Es importante que todo intercesor esté sometido a una cobertura espiritual, y que no inicie ninguna asignación de oración sin contar con la bendición y autoridad de su líder o pastor.

¿Cuáles son los diferentes tipos de intercesores que existen?

Así como en cualquier otro ministerio, existen diferentes clases de intercesores con un llamado dado por Dios para interceder en un área específica. Veamos cuáles son las diferentes clases de intercesores que existen:

1. Intercesores de almas

   Éstos son los que se paran en la brecha por las personas que no conocen al Señor. Gimen, lloran y tienen gran pasión por las almas. Muchas veces, cuando Dios los pone a orar, sienten como si estuvieran dando a luz un bebé. Su intercesión está dirigida hacia el perdido.

Hay individuos que nunca serán salvos hasta que un intercesor se ponga en la brecha por ellos y lo dé a luz en el espíritu por medio de la intercesión.

2. Intercesores de finanzas

Los intercesores de finanzas han sido ungidos por Dios para interceder por finanzas para el Reino de Dios. Ellos oran por otros para que reciban fondos y puedan llevar el evangelio. Tienen una fe grande para orar por dinero. Este tipo de intercesor ora para que las riquezas de este mundo pasen a los hijos de Dios.

3. Intercesores personales

Éstos son los guardianes espirituales que Dios ha confiado para llevar información confidencial al trono de Dios, para protección, provisión y otras prioridades de oración de alguna persona o individuo. Algunos de estos intercesores reciben asignaciones de Dios para orar por una persona o individuo.

Cada creyente debe tener un intercesor personal.

4. Intercesores de crisis

Los intercesores de crisis son los paramédicos de la oración. Ellos entran y salen del trono de Dios con peticiones urgentes, poniéndose en el lugar de otros. Además, actúan como vigilantes del pueblo de Dios.

Anteriormente, hablamos de cómo los intercesores muchas veces reciben ciertos síntomas o sensaciones en su cuerpo, advirtiendo de un peligro, de una carga de oración, o de algo que el Espíritu Santo le pone a orar. Cuando usted, como intercesor de crisis, reciba una carga por la cual orar, no la suelte hasta que haya tenido un rompimiento en el espíritu. Esto es algo que muy pocos intercesores de crisis lo saben. Algunas veces, lo dejan a medio orar y no logran rompimiento. Algunos intercesores de crisis pueden tener cargas de oración y, a veces, les toma semanas, días y hasta meses antes de lograr un rompimiento en el espíritu.

Hay una gran intercesora de este país, es una anciana de 77 años, que un día le preguntó al Señor: "¿por qué siempre me das cargas para orar por las crisis especialmente?" El Señor le dijo: "porque muchos de mis intercesores nuevos no saben cómo orar hasta que haya un rompimiento". "Sin embargo, si yo te pongo una carga para orar, no la sueltas hasta lograr el rompimiento". Los intercesores de crisis tienen que aprender a interceder hasta que haya un rompimiento.

5. Intercesores de guerra

Ellos son la fuerza militar poderosa de la oración. Ellos pelean por establecer la verdad de Dios en lugares donde Satanás tiene una fortaleza ya sea en las personas, en un problema, en una nación o lugar.

Una evidencia de un intercesor de guerra, es hacer guerra espiritual desde que comienza a orar, o sea, todo el tiempo de oración. Poseen una gran autoridad para responder y echar fuera demonios.

6. Intercesores adoradores

Ellos son los que interceden por medio de la adoración y la alabanza. Ellos son los que preparan el camino para que el poder de Dios se derrame sobre la tierra.

7. Intercesores de liderazgo

Son aquellos que interceden por los líderes de la iglesia, tales como: el pastor, la familia y el resto del liderazgo del cuerpo de Cristo. Ellos están asignados por Dios para interceder por el liderazgo del cuerpo de Cristo.

8. Intercesores de gobierno

Son aquellos que interceden por los líderes que están en el gobierno, en la política y en la esfera de influencia pública.

Creo que todo intercesor debe orar, todos los días, por el Presidente y su gabinete, pero Dios también ha asignado intercesores que oran por este tipo de personas.

9. Intercesores proféticos

Son los que ven el mundo invisible y los que oyen lo que no se oye a simple oído. Ellos son los que declaran la voluntad de Dios para un momento específico y en un lugar específico; son la boca de Dios.

10. Intercesores por Israel

Dios ha levantado un grupo de intercesores para que oren por Israel, su pueblo. Ellos tienen una profunda pasión por el pueblo de Israel, y se identifican con su dolor y sus necesidades.

III. ¿Cómo buscar y encontrar un lugar secreto para el ministerio de la intercesión?

¿Qué es el lugar secreto?

El lugar secreto es el lugar donde uno se reúne con Dios cada día. Es el lugar donde se entra en la presencia de Dios, y es en esa presencia, donde uno es cambiado, enseñado, corregido y amado. Es el lugar donde se recibe restauración, perdón y revelación acerca de su llamado aquí en la tierra. Es el cuarto de oración.

«[20]*En lo secreto de tu presencia los esconderás de la conspiración del hombre; los pondrás en tu Tabernáculo a cubierto de lenguas contenciosas*». Salmos 31.20

«[6]*Pero tú, cuando ores, entra en tu cuarto, cierra la puerta y ora a tu Padre que está en secreto; y tu Padre, que ve en lo secreto, te recompensará en público*». Mateo 6.6

Cada creyente debe tener un cuarto de oración, un lugar secreto donde se encuentre con Dios todos los días. Cada iglesia debe tener un lugar secreto y exclusivo, donde los intercesores oren todo el tiempo.

Todos nosotros podemos orar en cualquier lugar, por ejemplo, en restaurantes, aviones, hoteles, en la calle, en el banco, entre otros lugares; pero hay una gran diferencia cuando se tiene un lugar especial y específico para orar y tener una comunión íntima con Dios.

Hay varios factores importantes que usted debe conocer acerca de los "lugares". Éstos son:

- Los lugares son **importantes** para Dios. Dios creó los lugares antes de crear al hombre; fue el primer propósito del Espíritu Santo. *"...el Espíritu Santo se movía sobre las aguas".*

- Los milagros ocurren en **lugares específicos**.

  «⁴Y le era necesario pasar por Samaria». Juan 4.4

Cuando usted lee la historia de la mujer samaritana, se da cuenta que Jesús sabía los lugares donde los milagros podrían ocurrir. La fe fluye más fuerte en algunos lugares que en otros. Las personas que tienen fe pueden crear un clima para milagros en ciertas ciudades, pueblos y países.

La duda puede parar el fluir de los milagros.

«⁵⁷Y se escandalizaban de él. Pero Jesús les dijo:—No hay profeta sin honra, sino en su propia tierra y en su casa. ⁵⁸Y no hizo allí muchos milagros debido a la incredulidad de ellos». Mateo 13.57, 58

Algunos otros ejemplos de lugares donde Dios asegura que ocurren milagros son: el Río Jordán, donde fue sanado Naamán, y el ciego que fue sanado en el estanque de Siloé.

«⁶Dicho esto, escupió en tierra, hizo lodo con la saliva y untó con el lodo los ojos del ciego, ⁷y le dijo: —Ve a lavarte en el estanque de Siloé—que significa

«Enviado»—. Entonces fue, se lavó y regresó viendo».
Juan 9.6, 7

Usted puede crear un cuarto o un lugar donde sea lleno de la presencia de Dios. Ese cuarto debe tener música de adoración todo el tiempo, lápiz y papel para anotar lo que Dios hable a los intercesores y las escrituras en las paredes del mismo.

Cuando seleccionamos un cuarto o un lugar para la intercesión u oración, entonces lo santificamos, lo separamos para el uso exclusivo del ministerio de intercesión y oración. Algunos utensilios que deben incluir en el cuarto de intercesión son:

- Aceite ungido
- Agua
- Música de adoración
- Peticiones de oraciones escritas
- Lápiz y papel para escribir
- Luz tenue
- Los elementos de la comunión, pan y vino

Es importante estar en el lugar correcto para que los milagros ocurran.

IV. ¿Cuánto tiempo debemos orar?

Comience con una hora diaria todos los días. A medida que las personas se van añadiendo, vaya aumentando las horas cada día hasta poder cubrir las 24 horas diarias, o por lo menos, cubrir un tiempo determinado donde se ore por todas las necesidades del pueblo y otras necesidades. Nuestra iglesia empezó con tres horas de oración diaria, y ahora ya estamos cubriendo 24 horas. Es necesario dejar saber, que cuando comenzamos la oración, lo hicimos con intercesores voluntarios hasta que tuvimos el presupuesto para poder dar un salario a los mismos.

V. ¿Cuáles son las peticiones por las cuales se debe interceder?

Hay ciertas prioridades de intercesión y oración por las cuales los intercesores deben orar, por ejemplo:

1. Por el pastor y la familia

   - Sabiduría divina
   - Espíritu de sabiduría y revelación
   - Protección
   - Mayor unción de Dios
   - Temor de Dios
   - Finanzas de la iglesia y personales
   - Pastor y su familia
   - Salud
   - Pastor y sus finanzas

2. Por la visión de la iglesia local

   - Las almas
   - Liderazgo
   - Finanzas
   - Los departamentos de la iglesia
   - La presencia de Dios
   - Planes y proyectos futuros

3. El cuerpo de Cristo (a todos en general)

   - Evangelismo
   - La voluntad de Dios sea hecha aquí en la tierra

- Pastores y líderes
- Expansión del Evangelio
- Unidad del cuerpo de Cristo

4. El Presidente y su gabinete

«¹Exhorto ante todo, a que se hagan rogativas, oraciones, peticiones y acciones de gracias por todos los hombres, ²por los reyes y por todos los que tienen autoridad, para que vivamos quieta y reposadamente en toda piedad y honestidad. ³Esto es bueno y agradable delante de Dios, nuestro Salvador...»
1 Timoteo 2.13

Recordemos que los pastores deben proveer herramientas, estímulo, ánimo y adiestramiento para los intercesores. Es necesario hacer esto periódicamente para que no se desanimen, recuerde que ellos están en guerra todo el tiempo. En síntesis, podemos decir que para comenzar un ministerio de intercesión en la iglesia, debemos tener en cuenta lo siguiente:

- Conocer el propósito por el cual se establece el ministerio de intercesión.

- Identificar intercesores

- Buscar un cuarto de oración que sea separado para ese uso exclusivo, o si no, hacerla en el santuario principal.

- Interceder por ciertas prioridades específicas.

- Proveer adiestramiento para los intercesores.

  Si un ministerio quiere ser efectivo y causar un impacto en su vecindario, debe tener un ministerio de oración poderoso.

Cada pastor es responsable de levantar un ministerio de intercesión en su iglesia local. Si deseamos ver almas convertidas, si queremos destruir los planes y las estrategias del enemigo y si queremos proteger nuestra iglesia y familias, debemos tener un ministerio de intercesión bien establecido.

Si usted no ha tenido una experiencia personal con Jesucristo, ahora mismo donde está, recíbalo como su Salvador personal y obtendrá la salvación de su alma y el perdón de sus pecados. Acompáñeme en esta oración.

"Padre Celestial: Yo reconozco que soy un pecador, y que mi pecado me separa de ti. Yo me arrepiento de todos mis pecados, y voluntariamente, confieso a Jesús como mi Señor y Salvador, y creo que Él murió por mis pecados. Yo creo, con todo mi corazón, que Dios el Padre lo resucitó de los muertos. Jesús entra en mi corazón y perdona mis pecados. ¡Amén!

Si esta oración expresa el deseo sincero de su corazón, observe lo que dice Jesús acerca de la decisión que acaba de tomar:

«⁴⁷De cierto, de cierto os digo: El que cree en mí tiene vida eterna». Juan 6.47

Bibliografía

Biblia de Estudio Arco Iris. Versión Reina-Valera, Revisión 1960, Texto bíblico copyright© 1960, Sociedades Bíblicas en América Latina, Nashville, Tennessee, ISBN: 1-55819-555-6.

Biblia Plenitud. Versión Reina-Valera, Revisión 1960, ISBN: 089922279X, Editorial Caribe, Miami, Florida.

Diccionario Español a Inglés, Inglés a Español. Editorial Larousse S.A., impreso en Dinamarca, Núm. 81, México, ISBN: 2-03-420200-7, ISBN: 70-607-371-X, 1993.

El Pequeño Larousse Ilustrado. 2002 Spes Editorial, S.L. Barcelona; Ediciones Larousse, S.A. de C.V. México, D.F., ISBN: 970-22-0020-2.

Expanded Edition the Amplified Bible. Zondervan Bible Publishers. ISBN: 0-31095168-2, 1987 – lockman foundation USA.

Munroe, Myles Dr. *Understanding the Purpose and Power of Prayer.* Edition Whitaker House. ISBN 0-88368442-X.

Munroe, Myles Dr. *Becoming a Leader.* Editorial Pneuma Life Publishing: Baker Sfiuld, California, ISBN: 1-56229-401-6, 1993, pp. 155, 156, 159, 160.

Reina-Valera 1995 - Edición de Estudio, (Estados Unidos de América: Sociedades Bíblicas Unidas) 1998.

Strong James, LL.D, S.T.D., *Concordancia Strong Exhaustiva de la Biblia*, Editorial Caribe, Inc., Thomas Nelson, Inc., Publishers, Nashville, TN - Miami, FL, EE.UU., 2002. ISBN: 0-89922-382-6.

The New American Standard Version. Zordervan Publishing Company, ISBN: 0310903335.

The Tormont Webster's Illustrated Encyclopedic Dictionary. ©1990 Tormont Publications.

Vine, W.E. *Diccionario Expositivo de las Palabras del Antiguo Testamento y Nuevo Testamento*. Editorial Caribe, Inc./División Thomas Nelson, Inc., Nashville, TN, ISBN: 0-89922-495-4, 1999.

Ward, Lock A. *Nuevo Diccionario de la Biblia*. Editorial Unilit: Miami, Florida, ISBN: 0-7899-0217-6, 1999.

NUESTRA VISIÓN

Alimentar espiritualmente al pueblo de Dios por medio de las enseñanzas, libros
y predicaciones; y además, expandir la palabra de Dios a todos los confines de la tierra.

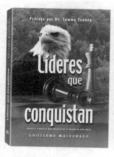

**LÍDERES QUE
CONQUISTAN**

Guillermo Maldonado
ISBN: 1-59272-023-4

**DESCUBRA SU PROPÓSITO
Y SU LLAMADO EN DIOS**

Guillermo Maldonado
ISBN: 1-59272-019-6

EL PERDÓN

Guillermo Maldonado
ISBN: 188392717-X

LA FAMILIA FELIZ

Guillermo Maldonado
ISBN: 1-59272-024-2

**EVANGELISMO
SOBRENATURAL**

Guillermo Maldonado
ISBN: 159272013-7

**FUNDAMENTOS BÍBLICOS
PARA UN NUEVO
CREYENTE**

Guillermo Maldonado
ISBN: 1-59272-005-6

CÓMO OÍR LA VOZ DE DIOS

Guillermo Maldonado
ISBN: 1-59272-015-3

LA DOCTRINA DE CRISTO

Guillermo Maldonado
ISBN: 1-59272-021-8

EL PODER DE ATAR Y DESATAR

Guillermo y Ana
Maldonado
ISBN: 1-59272-074-9

DE LA ORACIÓN A LA GUERRA

Ana Maldonado
ISBN: 1-59272-137-0

CÓMO VOLVER AL PRIMER AMOR

Guillermo Maldonado
ISBN: 1-59272-121-4

LA INMORALIDAD SEXUAL

Guillermo Maldonado
ISBN: 1-59272-145-1